Les Éditions du Boréal
4447, rue Saint-Denis
Montréal (Québec) H2J 2L2
www.editionsboreal.qc.ca

LES GENS FIDÈLES
NE FONT PAS
LES NOUVELLES

Scrapbook, roman, Montréal, Boréal, 2004 ; coll. « Boréal compact », 2006.

Nadine Bismuth

LES GENS FIDÈLES
NE FONT PAS
LES NOUVELLES

nouvelles

Boréal

Les Éditions du Boréal remercient le Conseil des Arts du Canada ainsi que le ministère du Patrimoine canadien et la SODEC pour leur soutien financier.

Les Éditions du Boréal bénéficient également du Programme de crédit d'impôt pour l'édition de livres du gouvernement du Québec.

Diffusion au Canada : Dimedia
Diffusion et distribution en Europe : Les Éditions du Seuil

Données de catalogage avant publication (Canada)

    Bismuth, Nadine, 1975-

    Les gens fidèles ne font pas les nouvelles

    2ᵉ éd.

    (Boréal compact ; 123)

    ISBN 2-7646-0107-7

    I. Titre.

PS8553.I872G46	2001	C843'.54	C2001-940034-9
PS9553.I872G46	2001		
PQ3919.2.B57G46	2001		

À mes parents, à Tata, à Isa et J.-F.
Et merci à Yvon Rivard

Un secret bien gardé

Quand j'ai vu M. Séguin étendu raide dans son cercueil, c'est au bon Dieu que j'ai pensé en premier. Mais ça n'a pas duré longtemps. J'étais trop préoccupée à remonter mes verres fumés sur mon nez et à caler mon béret bleu le plus bas possible sur mes oreilles. Et puis il faisait tellement chaud, et j'étais si nerveuse à l'idée qu'un collègue de M. Séguin surgisse de nulle part, s'approche de moi et me dise : « Madame, mais que faites-vous ici ? » Pour me calmer, je devais me répéter à chaque seconde que j'avais teint mes cheveux blonds en noir d'ébène la veille et que j'étais dès lors méconnaissable. Malgré tout, des frissons me parcouraient le corps. Peut-être était-ce la vue du cadavre qui m'effrayait. C'est que la mort n'allait pas très bien à M. Séguin : sa peau était blanche, flasque et ridée. J'essayais de le trouver beau, de le trouver attirant, mais c'était impossible. Son infarctus lui avait pris son charme en même temps que sa vie. J'ai déposé mon bouquet de fleurs par terre, près du cercueil, parmi les autres, et je suis allée m'asseoir.

C'est à ce moment que sa femme est entrée. Je l'ai immédiatement reconnue. Elle portait une robe marine parsemée de petits pois blancs, et un châle rouge recouvrait ses épaules. J'ai senti une vague odeur de parfum quand elle est passée près de moi. Elle s'est approchée du cercueil et elle a sorti un mouchoir de son sac. Elle a caressé le visage de M. Séguin et elle s'est mise à lui chuchoter des mots que je n'ai pas compris. Je la regardais, avec ses bras maigres qui s'agitaient au-dessus du cercueil, et ça m'a un peu consolée : de nous deux, c'était probablement elle qui avait le plus de peine.

Ce soir-là, il y avait eu une tempête de neige. Il était passé six heures et le trente-deuxième étage était désert. C'est pour cette raison que, lorsque j'étais entrée dans le bureau de M. Séguin, j'avais été surprise de le voir encore assis face à l'écran de son ordinateur. Je l'avais prié de reculer sa chaise car je devais vider sa corbeille à papiers. Au moment où je me penchais pour la saisir, mon livre était tombé de la large poche de mon uniforme. Il l'avait ramassé et il avait lu le titre à haute voix :

— *Un secret bien gardé*, avait-il dit sans pouvoir s'empêcher de rire.

Il avait jeté un œil intrigué sur l'illustration de la page de couverture : dans un cadre de fleurs roses et jaunes, un homme enlaçait tendrement une femme qui avait les paupières mi-closes. « Est-ce que c'est l'histoire d'une pauvre jeune fille qui tombe amoureuse d'un vieux riche qui finira par l'aimer lui aussi ? » m'avait demandé M. Séguin, l'air amusé.

— Non, ce n'est pas vraiment cela, lui avais-je répondu, embarrassée.

En fait, ce livre dont il ne me restait que quelques pages

à lire racontait l'histoire d'une femme qui tombait amoureuse de son psychologue. Le psychologue succombait au charme de cette femme, mais leur relation devait demeurer secrète vu sa nature transgressive, ce qui donnait du piquant à leur idylle. C'était un bon livre.

M. Séguin m'avait reluquée de la tête aux pieds. « Vous savez, ma sœur lit ce type de livre depuis qu'elle a quinze ans. Eh bien, aujourd'hui, elle est toujours vieille fille, à quarante-trois ans ! Je parie que c'est la même chose pour vous ! » De nouveau, il s'était mis à rire. Moi, j'avais froncé les sourcils, je lui avais arraché mon livre des mains et j'avais vigoureusement poussé ma grosse poubelle à roulettes jusqu'à la porte de son bureau, que j'avais claquée derrière moi. J'étais en colère : ce n'est pas que cela me dérange d'être vieille fille, mais qu'on se permette de me le rappeler aussi bêtement, c'est fâcheux.

Une heure plus tard, comme je frottais le miroir des toilettes des femmes du trente-deuxième étage, M. Séguin avait passé la tête dans l'embrasure de la porte. Il m'avait demandé si je voulais partager avec lui le poulet St-Hubert BBQ qu'il venait de commander. Il tenait à s'excuser de m'avoir froissée plus tôt avec ses remarques indiscrètes.

Ce soir-là, ça s'est passé pour la première fois. Dans son bureau, sur son bureau. Les boîtes en carton jaunes étaient allées s'échouer par terre, la sauce brune s'était répandue sur le tapis bleu. Par chance, mes produits nettoyants n'étaient pas bien loin. Juste devant mes yeux, sur une étagère de la bibliothèque, il y avait la photo de sa femme. Ça me gênait un peu. Quand les heures supplémentaires de M. Séguin ont commencé à devenir plus nombreuses, je lui ai demandé s'il ne craignait pas que sa femme survienne un beau soir à son bureau et qu'elle nous surprenne. M. Séguin avait hoché gravement la tête et il m'avait dit de ne pas m'inquiéter : « Huguette hait les ascenseurs, elle est claustrophobe… et trente-deux étages à pied, ce n'est pas son genre. » Par la suite, nous n'avons plus jamais reparlé d'elle. De toute manière, quand j'y repense, nous n'avons jamais vraiment parlé de grand-chose.

Sa femme s'est retournée, les yeux humides. Elle a remonté l'allée. Lorsqu'elle est passée près de moi, son châle rouge a frôlé mon épaule. Elle m'a regardée et elle m'a dit tout bas : « Excusez-moi. » À ce moment, j'aurais voulu m'excuser moi aussi auprès d'elle. Mais elle n'aurait pas compris et, après tout, qu'est-ce que j'avais à me faire pardonner ? Je n'ai jamais essayé de prendre sa place, je ne lui ai jamais voulu de mal. Je lui ai souri et elle a poursuivi son chemin.

J'ai attendu qu'elle soit arrivée tout au fond de la salle puis je me suis dit qu'il fallait que j'aille voir M. Séguin une dernière fois. Ensuite, je partirais. Je ne me sentais pas trop à l'aise avec elle tout près ; ça me rappelait la photo dans la bibliothèque.

Un soir, M. Séguin m'avait dit : « Nous irons en voyage, une bonne fois, juste nous deux. » Je lui avais répondu que je ne le croyais pas : « C'est trop beau… nous ne sommes pas dans un roman d'amour. » Par la suite, il ne m'avait plus rien promis. L'année dernière, le jour de mon anniversaire, il avait fait livrer un énorme bouquet de fleurs chez moi. Je n'en avais jamais vu d'aussi gros. Il y avait un petit billet signé de sa main : « Chère Élise, on n'est pas dans un roman d'amour, mais bonne fête quand même. » Cré M. Séguin. Je crois qu'il va me manquer.

Avant de quitter le salon funéraire, je suis allée aux toilettes. Tandis que je verrouillais la porte de la première cabine, j'ai entendu des pas : quelqu'un a pris place dans la cabine adjacente. J'ai vu la bordure d'une robe marine à pois blancs apparaître sous le petit mur de métal et mon cœur s'est mis à battre à toute vitesse. Soudain, je n'avais plus envie de faire pipi. Je suis sortie de ma cabine. Quelque chose me disait que je devais fuir ce lieu et courir à l'arrêt d'autobus, mais j'étais si paniquée que j'ai ouvert le robinet et n'ai trouvé rien d'autre à faire que de me laver les mains.

Mme Séguin est sortie de sa cabine pendant que je me frottais les mains sous le séchoir. Elle a lavé les siennes et elle s'est approchée de moi, sans même me regarder. Mes mains étaient encore toutes mouillées, mais je lui ai cédé ma place, comme s'il lui revenait à elle bien plus qu'à moi de se faire sécher les mains décemment. Elle m'a souri, étonnée je crois, s'apercevant tout juste de ma présence. J'ai ressenti à ce moment un respect inexplicable pour elle. Cette phrase a glissé hors de ma bouche sans que je puisse exercer sur elle le moindre contrôle :

— Toutes mes condoléances, madame Séguin.

Au même moment, le séchoir s'est arrêté. Mme Séguin s'est avancée vers le miroir. Elle a observé mon reflet derrière le sien dans la glace et elle m'a dit : « C'est bien gentil à vous, madame… madame qui ? » Je suis restée bouche bée. Je me suis aperçue dans le miroir et j'ai trouvé que j'avais l'air d'une folle avec mes verres fumés ; je les ai retirés. Nos regards se sont croisés et je lui ai dit : « Madame St-Jean. » St-Jean ! Ça m'est venu comme ça, c'était le nom de jeune fille de ma mère. Mme Séguin s'est brossé les cheveux. Je l'ai observée. J'étais comme clouée sur place, incapable de sortir de là. Je la trouvais belle et je me suis demandé pourquoi M. Séguin avait eu besoin de prendre une maîtresse puisque sa femme était si agréable à regarder.

— Il ne me semble pas vous avoir déjà rencontrée… Vous connaissiez mon mari ?

Cette fois, j'ai cru que mon cœur allait cesser de battre et que j'irais rejoindre M. Séguin au paradis. Je ne pouvais quand même pas dire à Mme Séguin que j'étais la femme de ménage responsable de l'étage où la société pour laquelle son mari travaillait avait ses bureaux. Une femme de ménage ne va pas se recueillir devant le cercueil d'un homme quand la seule raison qu'elle a de le connaître, c'est qu'elle doit vider sa corbeille à papiers quotidiennement et épousseter son bureau une fois par semaine. J'ai songé à me faire passer pour une collègue de travail, mais j'ai craint la catastrophe : sa femme les avait probablement déjà tous rencontrés dans une fête de bureau ou quelque chose comme ça. Mme Séguin me faisait face. Elle a avancé son menton en penchant la tête vers la droite. J'ai eu l'impression qu'elle voulait boire les paroles qui s'apprêtaient à sortir de ma bouche, ce qui m'a rendue encore plus nerveuse. Toutes sortes de professions me sont passées par la tête : dentiste, optométriste, chiropraticienne, podiatre, mais n'y avait-il pas trop de risques que Mme Séguin consulte les mêmes professionnels de la santé que son mari? C'est toutefois en voyant défiler tous ces métiers devant mes yeux à une vitesse folle que j'ai trouvé exactement ce qu'il fallait que je dise pour sauver les apparences.

— Si vous ne m'avez jamais rencontrée, c'est parce que j'étais la psychologue de votre mari.

Après avoir prononcé cette phrase, je me suis sentie soulagée. Tous mes muscles se sont détendus. Être psychologue, c'est tellement banal, il n'y a que dans les livres que je lis que ça donne lieu à des histoires enflammées. Mme Séguin pouvait être rassurée, et moi, je pouvais dormir tranquille, avec la certitude que cette femme ne souffrirait jamais d'avoir appris ce que son mari faisait durant ses heures supplémentaires. C'est à ce moment que j'ai pris la résolution de ne plus jamais fréquenter un homme marié, plus jamais. M. Séguin avait été le premier, il serait le dernier. Après tout, ces choses-là ne se font pas.

Je reprenais tranquillement mon souffle quand j'ai remarqué que le visage de Mme Séguin était devenu tout rouge. Son corps semblait défaillir et elle devait s'agripper au lavabo pour ne pas tomber. Elle s'est mise à murmurer d'une voix lancinante que tout cela était impossible, que son mari ne lui avait jamais dit qu'il consultait une psychologue, qu'elle ne pouvait pas avoir partagé plus de vingt ans de la vie d'un homme sans deviner qu'il était tourmenté à un point tel qu'il avait besoin d'aide. Elle avalait bruyamment sa salive.

— C'est terrible, pourquoi ne m'en a-t-il jamais parlé? Dites-moi ce qu'il avait, docteur, c'est mon mari, j'ai le droit de le savoir… Dites-moi tout: de quoi vous parlait-il? Pourquoi une psychologue? Il n'était pas heureux? Mon Dieu, est-ce qu'il m'aimait? Dites-moi…

Mme Séguin s'est approchée de moi, elle m'a pris les mains et les a serrées très fort entre les siennes, m'implorant encore une fois de lui confier tout ce que je savais sur son mari. Je suis restée calme et, d'un ton posé, je lui ai dit, comme si c'était une évidence :

— C'est impossible, madame, c'est impossible. Je suis désolée, mais je dois respecter le secret professionnel…

Des larmes se sont formées dans le creux de ses yeux et j'ai dû me retenir pour ne pas pleurer avec elle. Comme une enfant, elle s'est jetée dans mes bras et elle a éclaté en sanglots. Je lui ai caressé les cheveux ; ils étaient doux comme de la soie.

Au Jardin d'Éden

J'ai dix-huit ans et je m'appelle Yux. C'est un nom bizarre, mais ce n'est pas de ma faute, c'est ma mère qui l'a choisi. Un jour, du temps qu'elle était enceinte de moi, elle a joué à un jeu qui s'appelle le Scrabble. À la fin de la partie, trois lettres sont restées sur son support en bois, trois lettres qui ne pouvaient se placer nulle part sur le jeu. Ma mère s'est frotté le ventre et elle a eu une petite pensée pour moi ; la première et la dernière, je crois bien. Quand j'étais jeune, je me souviens que j'allais à l'école et que les enfants riaient de mon nom. Le soir, je revenais à la maison et je pleurais en demandant à ma mère pourquoi elle m'avait appelée ainsi ; elle me répondait qu'elle était poète, que mon nom était très poétique et que si je ne l'aimais pas, je n'aurais qu'à en changer une fois devenue vieille. Le jour où j'ai eu dix-huit ans, j'ai appelé le service du gouvernement qui s'occupe des noms de tout le monde et que la téléphoniste du 411 m'avait donné ; ils m'ont dit que pour changer de nom j'avais besoin de mon extrait de naissance. Je leur ai dit que je n'en avais pas, ou que si j'en avais un, je ne savais pas où il était. Ils m'ont dit de demander à ma mère, que c'était sûrement elle qui l'avait, sinon mon père. « Est morte, ma mère, maudite marde, allez donc tout' chier ! » que je leur ai dit. J'ai raccroché et je n'ai plus jamais rappelé.

Ce n'est même pas vrai qu'elle est morte, ma mère. Mais c'est tout comme. Elle est à l'asile et je ne vais jamais la voir parce que, la dernière fois qu'on s'est parlé, elle m'a traitée de petite putain. J'avais seize ans, et après, j'ai fait une fugue de chez moi. Quand j'ai voulu y retourner un mois plus tard, la concierge du bloc-appartements m'a dit que ma mère avait viré folle et que mon père avait disparu dans la brume sans payer le dernier mois de loyer. Je lui ai demandé si je pouvais récupérer mes affaires ; elle n'a pas voulu, la maudite chienne, elle m'a dit que mes parents étaient partis en emportant tout avec eux. Je ne l'ai pas crue : quand on vire fou ou qu'on disparaît dans la brume, on n'emporte pas ses meubles avec soi, que je lui ai dit, ni les vêtements de sa fille qu'on ne portera jamais. La grosse vache m'a dit que j'étais la fille de personne, que j'étais juste un déchet et que si ni mon père ni ma mère n'avaient été foutus de mettre une petite annonce dans le journal pour me retrouver, c'est qu'ils ne voulaient même pas me revoir. Je lui ai crié d'aller se faire foutre. « Tout le quartier sait que tu fais *shaker* tes petits tétons pis que tu te promènes la noune à l'air *Chez Zazi* », qu'elle m'a dit. Alors moi, je lui ai répondu : « Je crosse ton mari tous les soirs, vieille truie ! » et je suis partie en courant.

Toujours est-il que mon nom fait beaucoup jaser. Pas plus tard que cet après-midi, par exemple, comme je lui apportais son club sandwich, un client m'a demandé comment je m'appelais. Quand je le lui ai dit, il a soufflé entre ses dents : « C'est un beau nom, ça rime avec suce. » Je lui ai souri parce que mes pourboires sont mon seul salaire. Du mardi au samedi, je travaille de onze heures à cinq heures dans une taverne de l'est de la ville. Sur la vitrine de verre fumé, c'est écrit *Au Jardin d'Éden / Serveuses sexy*. Quand je n'avais pas encore dix-huit ans, je travaillais *Chez Zazi*, mais là-bas il n'y avait rien d'écrit sur la vitrine parce que c'était un peu clandestin comme endroit. C'est pour cette raison qu'ils m'avaient engagée même si j'étais encore mineure. Là-bas, je devais servir les pichets de bière toute nue. Au *Jardin d'Éden,* je porte une petite culotte rouge échancrée. Le seul problème, c'est que j'en ai juste une et que je dois me souvenir de la laver chaque soir, avec du savon doux, sinon ça va faire des petits moutons et ma culotte va avoir l'air usée. C'est la femme du patron qui m'a refilé ce conseil d'entretien. Elle s'appelle Lyne et je suis sa petite préférée ; c'est à elle que je dois mon emploi ici. Quand j'ai eu dix-huit ans, quelques jours après avoir appelé le gouvernement pour essayer de changer mon nom, je suis venue remplir un formulaire de demande d'emploi au *Jardin d'Éden*; Lyne était assise au bar, elle a voulu savoir si j'avais de l'expérience. Je lui ai dit que je travaillais *Chez Zazi* : « Pauvre petite fille », qu'elle m'a dit. Elle m'a emmenée dans le bureau et m'a demandé de me déshabiller. Quand elle a vu que je n'avais pas les cuisses bourrées de cellulite ni de grosse tache de naissance sur le ventre ou un défaut du genre, elle m'a dit qu'elle me voulait dans son équipe : « Ici, on est *clean,* c'est pas comme *Chez Zazi,* qu'elle m'a affirmé. Pas de drogue, pas de relations sexuelles avec les clients. Ici, on est un bon endroit. » C'est vrai que je peux refuser d'enlever ma petite culotte quand les clients me le demandent. En fait, le seul qui ait vraiment le droit de me la retirer, c'est mon patron. Par exemple, tout à l'heure, Lyne était partie faire des courses pour la taverne et j'avais fini de travailler. Je m'habillais dans le bureau quand il est entré sans frapper. J'ai dû me déshabiller de nouveau. Je me suis couchée sur le vieux divan brun et je me suis laissé faire. Toutes les fois que ça arrive, je pense à Lyne et j'ai des remords parce que je me dis que je lui rends mal toute l'affection qu'elle me porte. Elle me traite mieux que toutes les autres filles du *Jardin*. Le jour où elle m'a engagée, elle m'a donné une petite culotte rouge flambant neuve, encore emballée dans un sac en plastique transparent, alors que d'autres filles avec qui je travaille m'ont dit qu'elle leur avait refilé les vieilles culottes des anciennes serveuses de la place, même pas lavées. Cette journée-là, Lyne m'a aussi donné un tube de crème dépilatoire : « Je ne veux pas voir un poil dépasser de ta culotte, qu'elle m'avait prévenue. Ce sont des petits détails comme ça qui coupent l'appétit des clients. Ici, on est un restaurant avant tout. » Ça, je n'en suis pas toujours certaine, surtout lorsque mes journées se terminent comme aujourd'hui. Mais au moins, quand c'est le cas, ça me fait un extra sur ma paye. Mon patron me donne le choix : vingt dollars ou un petit sac de poudre. Tantôt, j'ai pris l'argent, parce que ces temps-ci je ne sais pas ce que j'ai, mais je saigne souvent du nez. Quand je suis allée à la clinique la semaine dernière, la réceptionniste m'a dit que ma carte d'assurance-maladie était expirée et elle m'a donné un numéro où je pourrais appeler pour en avoir une neuve. Je l'ai fait, mais c'était un message enregistré. Il fallait répondre aux questions à l'aide des touches du téléphone. J'ai raccroché parce que depuis trois semaines j'habite chez Lola, une fille du travail, et qu'elle a seulement un téléphone à roulette. J'ai presque regretté d'être partie de chez Bobby : quand j'habitais chez lui, au moins, il y avait des appareils sophistiqués. C'est parce qu'il était receleur. Mais le mois dernier, il est devenu bizarre parce que ses affaires ont commencé à aller mal et, un matin, Lyne m'a avertie qu'elle ne pourrait pas me donner congé chaque fois que j'arriverais au travail avec un œil au beurre noir. Alors je suis partie de chez Bobby parce que je sais que le *Jardin*, c'est quand même un bon endroit ; des hommes, j'en ai déjà vu de bien pires que mon patron.

Même si je suis restée avec Bobby seulement un mois et demi, je m'ennuie parfois de lui et de Rusty, son berger allemand. Le soir, quand je rentrais à l'appartement, Bobby était rarement là. Je m'installais devant la grosse télévision, avec le chien et le *remote control* ; on captait plein de chaînes de télé, ça pouvait me prendre quinze minutes juste pour en faire le tour. Maintenant, c'est différent. Ce soir, par exemple, quand je suis rentrée chez Lola, elle était dans sa chambre parce qu'elle a congé le mercredi soir. Je ne sais pas avec qui elle était, mais ça avait l'air de brasser, si vous voyez ce que je veux dire. Pendant que j'étais sous la douche, j'ai fait tremper ma petite culotte dans le lavabo. Ensuite, je l'ai frottée, mais pas n'importe comment : pour ne pas abîmer le tissu soyeux, il faut prendre une débarbouillette. C'est un autre truc d'entretien. Je l'ai mise à sécher sur le dossier d'une chaise dans la cuisine. Je suis allée dans le salon parce que ma chambre est collée à celle de Lola et que je n'avais pas envie d'entendre ce qui se passait là-dedans. J'ai allumé la télévision.

Ici, non seulement il faut se lever pour changer de poste, mais en plus on capte juste trois chaînes. La seule qui n'était pas embrouillée diffusait un match de hockey. Je me suis assise sur le vieux futon rose et je l'ai regardé. La semaine dernière, un midi, mon patron nous a dit : « Les filles, si vous continuez à faire du bon travail, peut-être que les joueurs du Canadien vont finir par nous rendre visite. » Il dit qu'il a des bons contacts au sein du club mais qu'il ne veut pas qu'on lui fasse honte si jamais il se décide à les utiliser pour nous faire de la publicité. Au premier entracte, j'ai allumé le mégot du joint qui traînait dans le cendrier. Il y avait un joueur en interview. L'animateur n'arrivait pas à prononcer correctement son nom. Il riait pour qu'on l'excuse et il avait l'air d'un con. Le joueur était russe ou quelque chose comme ça. Il ne parlait pas très bien le français et il avait les cheveux rasés. Je me suis dit que, si jamais les Canadiens venaient au *Jardin*, il fallait que je le serve, celui-là. Avec nos deux noms malcommodes, on se comprendrait sûrement du premier coup. En plus, chez lui, il y avait sans doute une grosse télé avec un *remote control,* un téléphone à clavier, un bain-tourbillon et bien d'autres choses encore que j'ignore. Et puis j'imagine que les joueurs de hockey ne tabassent pas leurs blondes, eux. Ils se défoulent assez comme ça sur la glace.

La deuxième période commençait quand Lola est venue raccompagner un homme à la porte de l'appartement. Il m'a dit bonjour mais je ne lui ai pas répondu ; je ne suis quand même pas pour me mettre à parler à tous les vieux croûtons qu'elle ramène ici pour arrondir ses fins de mois. De toute manière, je ne pense pas que je vais habiter avec Lola bien longtemps : la fille qui dort habituellement dans la chambre que j'occupe va peut-être revenir. Elle est partie voir comment marchent les affaires à Toronto, mais il paraît que ça ne fonctionne pas aussi bien qu'elle le voudrait. C'est Lola qui me l'a dit. Cette fille, avant de s'en aller, elle travaillait au *Jardin*; quand elle a donné sa démission, Lyne l'a engueulée et lui a dit qu'elle ne trouverait jamais un aussi bon endroit que le *Jardin*, ni à Toronto, ni à New York, ni à Los Angeles. Lyne ne disait même pas cela pour essayer de retenir la fille, parce que par la suite — je suis sa confidente — elle m'a avoué que si la fille n'était pas partie d'elle-même, c'est elle qui l'aurait foutue à la porte : « As-tu vu le cul qu'elle se paye? Elle a engraissé de quinze livres en un mois. » Je ne l'ai pas dit à Lyne, mais si le cul de cette fille avait pris autant de volume en si peu de temps, c'est parce qu'elle avait arrêté de s'en mettre dans le nez.

Lola a refermé la porte et elle est venue s'asseoir sur le futon. Elle a sorti un joint d'une des poches de sa robe de chambre. Elle me l'a passé après avoir tiré dessus. On a regardé la télé sans rien dire. Quand il y a eu une annonce, Lola s'est tournée vers moi : « Penses-tu vraiment qu'ils vont venir? Je veux dire, crois-tu vraiment ce que raconte le patron? Peut-être qu'il est sérieux, non? Après tout, le *Jardin,* ce n'est pas le pire trou en ville. » J'ai haussé les épaules : « Oui, c'est vrai, le *Jardin* c'est quand même un bon endroit», que je lui ai répondu. Au deuxième entracte, on s'est fait venir une pizza et Lola est allée prendre sa douche. Pendant la troisième période, quand il y avait des gros plans des joueurs assis sur le banc, on essayait de distinguer leurs visages, question de les reconnaître, si jamais ils se pointaient le bout du nez au *Jardin*. Le joueur au nom bizarre a compté un but, mais j'ai constaté à ce moment-là qu'il était dans l'équipe adverse. Et puis on n'a pas su qui a finalement gagné la partie parce que la télé de Lola est devenue toute noire tandis qu'il restait encore dix minutes de jeu. « Maudite marde », qu'elle a dit, Lola, en cognant très fort sur le dessus de sa télé. L'image n'est jamais revenue et je suis allée me coucher. Quelques minutes plus tard, Lola a crié : « Yux, maudite voleuse, y restait la moitié d'un joint dans le cendrier ! » J'ai fait semblant de dormir. Je n'ai même pas bronché quand elle est venue donner des coups de pied dans la porte de ma chambre. De toute façon, je m'en fous, je vous l'ai dit : je ne suis pas ici pour longtemps.

Fondue chinoise

Lise avait mis sa robe noire, celle dont le tissu reluisait légèrement quand un rayon de lumière l'effleurait. Cette robe, qui lui arrivait juste au-dessous du genou, épousait parfaitement les courbes de son corps. Car, malgré ses quarante et un ans, le corps de Lise avait encore toutes ses formes.

Lise avait hésité : son collier de perles de jade ou sa large écharpe jaune ? Elle avait essayé les deux en s'observant dans la psyché. Elle avait préféré l'écharpe, son effet souple, volatil, libre. Lise s'était mise à tourner sur elle-même devant la glace ; l'écharpe s'était soulevée puis s'était enroulée autour de son cou, comme un enfant qui n'aurait pas voulu la laisser partir.

Des bas nylon ? Lise doutait de la nécessité de cet accessoire : ce soir, elle ne sortait pas, elle recevait. Et puis son esthéticienne ne lui avait-elle pas dit : « Les deux secrets d'une peau qui reste belle : respiration et hydratation. Tous vos pores sont comme de petites bouches : ils ont besoin d'air, et ils ont besoin d'eau. » ? Lise caressa le mollet de sa jambe gauche et replaça ses bas nylon au fond de son tiroir.

Elle observa ses cheveux dans la glace. Une perle, cette nouvelle coiffeuse. Elle avait bien fait de risquer le coup. Son coiffeur lui avait refusé un rendez-vous de dernière minute quand elle l'avait appelé cet après-midi. Paniquée, Lise avait dû se rendre à ce salon qui venait tout juste d'ouvrir et avait laissé sa tignasse brune entre les mains de cette jeune coiffeuse qui mastiquait une boule de gomme mauve. Un moment, Lise avait redouté le pire. Pourtant, elle le savait maintenant : un bijou de nouvelle coiffeuse. Elle lui avait noué les cheveux exactement comme Lise les aimait, leur donnant ce négligé étudié, ce laisser-aller raffiné. Lise adorait l'effet de ces quelques mèches d'apparence rebelle et pourtant parfaitement disciplinées par le fixatif, ces mèches qui retombaient sur sa nuque ou qui lui chatouillaient les oreilles. Pendant un moment, elle s'amusa à les enrouler autour de ses doigts et, quand elle les relâchait, s'émerveillait de les voir reprendre la forme que la coiffeuse leur avait donnée. Lise se sourit dans la glace, ravie du dénouement de l'intrigue fortuite qui avait marqué sa journée. Car n'était-ce pas là un singulier concours de circonstances qui avait fait en sorte que son coiffeur habituel n'ait pu la recevoir à une heure pourtant creuse, et qui, de surcroît, avait voulu que cette nouvelle coiffeuse soit divine ? Oui, dans toute cette aventure, il apparut à Lise que c'était le hasard et rien d'autre qui avait tout orchestré. Ou alors, c'était le destin, et il était inscrit quelque part que Lise découvrirait ce jour-là cette nouvelle coiffeuse. Hasard ou destin, peu lui importait, car Lise, quelle que fût la force qui agissait sur sa vie, était convaincue d'être entre bonnes mains. Aussi la vie, du moins la sienne, lui sembla-t-elle à cet instant comparable à une mélodie purgée de toute discordance.

Lise entendit sonner au rez-de-chaussée. Sony aboya et les pas de Normand se pressèrent de la cuisine à la porte d'entrée. Des éclats de voix résonnèrent. Murielle et Jean étaient arrivés; il fallait aller les accueillir. Lise s'observa une dernière fois dans la glace : elle se trouva belle, se sentit heureuse. Comme toutes les fois que cela lui arrivait, un frisson grimpa tout au long de son épine dorsale et se dissipa aussi vite qu'il était venu. Lise chaussa de minces escarpins noirs, sortit de la chambre et descendit les escaliers en tenant la rampe avec précaution, car elle s'était fait un manucure la veille et elle ne voulait surtout pas le gâter.

Lise embrassa chaleureusement Jean et Murielle, prit leurs manteaux et alla les suspendre dans le placard de l'entrée. Quand elle revint au salon, Murielle et Jean étaient assis en tailleur sur le tapis, Sony leur léchait tantôt le visage, tantôt les mains, et Normand apportait les apéritifs. Lise accepta distraitement le verre que Normand lui tendit, prit place sur le divan et invita Murielle et Jean à s'y installer également. « Nous sommes parfaitement bien ainsi », assura Jean en levant les yeux vers elle. Lise n'insista pas; après tout, n'avait-elle pas choisi l'échantillon de moquette le plus épais qui fût lorsque Normand et elle avaient fait construire cette maison, il y avait de cela une quinzaine d'années? « Un choix judicieux », lui avait dit la représentante de la maison de tapis. Et puis la femme de ménage était venue la veille : le tapis était donc confortable et propre. « Je n'ai aucune raison de m'en faire », pensa Lise en se levant pour aller chercher les canapés sur le comptoir de la cuisine.

Normand tentait de trouver les allumettes dans le buffet de la salle à manger : « Merde, mais où est-ce qu'elles sont ? » Il fallait mettre le feu à la mèche du petit pot de combustible sous le réchaud à fondue. Murielle se leva et Jean avança bruyamment sa chaise pour qu'elle puisse passer. « Elles sont dans le premier tiroir de droite », indiqua Lise, puis elle demanda à Murielle si elle désirait quelque chose. Murielle lui répondit qu'elle avait froid et qu'elle allait chercher sa veste de laine laissée par terre dans le salon. Lise, dont la robe était pourtant à manches courtes, ne ressentait pas le moindre frisson. Elle se leva tout de même et ajusta le thermostat sur le mur derrière elle ; elle en profita pour tamiser la lumière. Tandis qu'elle se rasseyait, Jean lui chuchota que sa robe était merveilleuse ; il voulut la toucher, passa une main par-dessus la table et palpa le tissu qui recouvrait l'épaule droite de Lise. « Incroyable », lâcha-t-il. Puis il laissa descendre ses doigts aux ongles propres et bien taillés tout le long du bras de Lise : « Tu es radieuse, lui confia-t-il, tu rajeunis chaque fois que je te vois. » Jean n'avait pas souri en la complimentant, et Lise discerna une confuse compassion au fond de son regard, comme s'il avait trouvé regrettable qu'elle ne vieillisse pas. Lise lui répondit qu'il exagérait, mais elle savait bien que les nombreuses crèmes dont elle s'enduisait le corps de la tête aux pieds chaque soir étaient puissamment efficaces. Sur son poignet droit, elle sentit la chaleur de la main de Jean et ne put s'empêcher de penser aux pores de sa peau. Exactement sous la main de Jean, il devait y en avoir des milliers, peut-être des millions. Et toutes ces petites bouches étaient affamées, elles auraient voulu mordre la paume de Jean, la croquer, la mâchouiller, la ronger. La manger, qui sait ? Oh… il faudrait qu'elle en parle avec son esthéticienne. Car Lise doutait : étaient-ils normaux, ses pores, si, en plus de boire et de respirer, ils avaient besoin de s'alimenter ?

Jean prit une cuiller de sauce aux trois poivres qu'il versa dans le coin de son assiette ; il répéta le même geste pour la sauce béarnaise et la sauce au curry qui était d'un orange presque rouge. Il déclara soudainement : « Quand tu vois ces enfants dans les rues de Calcutta, tu crois que l'enfer est réellement sur terre. Tu ne peux pas imaginer pire tableau ; en fait, ça ne se décrit pas. Il faut le voir, c'est tout. » Jean laissa dégoutter le bouillon de son morceau de viande au-dessus du plat à fondue, porta le morceau dans son assiette et le trempa dans la sauce au curry. Il souffla dessus puis l'enfouit dans sa bouche. Il mastiqua lentement, avala, puis ajouta : « Il faut le voir, car c'est tout bête, ça ne se décrit pas ; les mots manquent. » Jean hocha gravement la tête, comme si l'indicible le terrassait davantage que ces calamités qu'il était incapable de dépeindre.

Lise pensa à Calcutta, à ce reportage terrible et passionnant qu'elle avait vu il n'y avait pas si longtemps à la télévision. C'était sur mère Teresa et, en effet, il y avait beaucoup d'enfants autour d'elle, sans doute ces mêmes enfants dont parlait Jean ; Lise crut alors comprendre ce qu'il voulait dire. Elle se rappela le voyage en Inde et en Indonésie qu'avaient fait Murielle et Jean l'année précédente. Ils étaient partis durant un mois ; Lise était passée chez eux quelques fois pour arroser les plantes. Pour la remercier, ils lui avaient offert la statuette d'un drôle de petit bonhomme corpulent : « C'est Bouddha », lui avait dit Jean. Lise l'avait trouvé mignon. Elle l'avait rangé au sous-sol, sur la tablette au-dessus de la machine à laver. Elle devait d'ailleurs le changer de place, car chaque fois qu'elle prenait la boîte de détersif ou le contenant d'assouplisseur de tissus, le bibelot risquait de tomber. Cela n'était guère pratique.

« C'est délicieux, Lise, cette fondue, c'est une réussite ; tu es épatante », s'exclama Murielle en retirant un brocoli du bouillon. Normand l'approuva, Jean acquiesça discrètement de la tête. Lise aurait tant voulu riposter : « Mais je t'en prie, ma bonne Murielle, je t'en prie, ne dis pas une chose si ridicule. » Comment, en effet, pouvait-on rater une fondue chinoise ? Sans aucun doute fallait-il être drôlement malchanceux, sinon rudement maladroit. Ou simplement crétin ? « Merci », lui répondit-elle malgré tout en songeant qu'elle aurait pu servir un rôti, une volaille ou un poisson. Mais Murielle et Jean étaient des amis de longue date. Normand et elle ne les avaient pas vus depuis près de quatre mois et la fondue chinoise lui avait semblé le menu le plus convivial qui soit : chaque fourchette trempant dans le même bouillon ; chacun nourri au même sein ; les âmes en totale communion. « Oh oui… la fondue chinoise, n'est-ce pas là un repas qui crée une ambiance d'osmose complète ? » s'était dit Lise, convaincue de la justesse de son choix.

Jean harponna un champignon du bout de sa fourchette et la plongea dans le bouillon. Elle heurta la fourchette de Normand, laquelle, par ricochet, frappa celle de Murielle. « Le Borobudur, à Java…, dit-il d'une voix lointaine. Quand tu vois ce monument, tu te sens si petit, si minuscule, si… rien du tout. Rien du tout, c'est ce que nous sommes tous, non ? Et quand tu vois le Borobudur, c'est comme si tu étais devenu une crotte, ou encore une poussière. » Jean tentait de mimer de quoi pouvait bien avoir l'air une poussière. Il avait rapproché son pouce de son index et plissé les yeux pour montrer à quel point la distance entre ses doigts était microscopique. Lise en eut la chair de poule : non, c'était impossible, jamais elle ne serait si petite que cela. Au grand jamais. Jean exagérait toujours un peu. Toutefois, s'il fallait vraiment choisir, Lise songea qu'elle préférait devenir une crotte plutôt qu'une poussière. Question de retourner à la terre. Question de ne pas être emportée éternellement par le vent. Lise ne supportait pas l'instabilité.

Lise regarda Jean qui retirait sa fourchette du bouillon en heurtant de nouveau celle de Normand et celle de Murielle ; le plat à fondue était-il trop petit ? se demanda-t-elle. Oh… elle en achèterait un autre, plus grand. Elle regarda ensuite Murielle en face d'elle et Normand à sa gauche : et eux, qu'auraient-ils voulu devenir ? Des crottes, des poussières ? Lise jugea qu'elle aurait eu l'air ridicule si elle avait posé la question.

Jean ramena sa fourchette à son assiette ; son champignon fumait. Il retroussa ses manches puis se recula sur sa chaise. « Comment ça marche, ton entreprise, depuis que vous avez fusionné ? » lui demanda Normand. « Tout est parfait », lui répondit Jean. Il observa son champignon comme s'il n'avait plus faim et poursuivit en regardant Normand : « Tu sais, si tu m'avais dit dans le temps qu'on était au collège qu'un jour je croirais que les désirs sont le début de tous les malheurs, et que je me mettrais à contrôler les miens, à dire non à cette partie la plus médiocre de mon être, jamais je ne t'aurais cru. Pourtant, aujourd'hui, c'est comme ça que je vois la vie. » Murielle posa une main sur la nuque de Jean, puis elle ajouta en riant : « Moi aussi, chéri, nous sommes deux dans cette aventure spirituelle… Seulement, parfois, tu m'inquiètes… tu frôles l'inté-grisme… » Jean lui reprocha d'avoir la main froide et Murielle la retira. Elle haussa les sourcils en regardant Lise, comme si elle avait voulu lui dire : « Tous pareils, ces hommes. » Lise lui adressa un clin d'œil qu'elle souhaita éloquent et qui signifiait : « Oui, mais diable qu'on les aime quand même ! »

Normand, les coudes sur la table, considérait avec un air d'incompréhension le couple qu'il avait devant lui : « Maudit que vous êtes zen », leur dit-il. Il but une gorgée de vin, puis ajouta : « C'est comme cet employé que j'ai engagé le mois dernier, une espèce de *freak* qui fait de la méditation dans son bureau tous les midis. Je vais le foutre à la porte si ça continue. » Murielle s'agita sur sa chaise, reprocha à Normand ses intentions, invoqua les droits de l'homme, affirma que chacun devait être libre de pratiquer la religion qu'il voulait. Normand s'emporta : « Je vais t'en faire, une religion, moi. Crisse, ça pue l'encens dans tout le bureau chaque midi ; ça me donne des migraines, l'encens, tabarnak, ça me rappelle quand j'étais jeune et que j'allais à la messe tous les dimanches matin. » Lise sursauta sur sa chaise, se tourna vers son mari : « Normand, je t'en prie, ton langage. » Normand inspira et expira très fort, balaya l'air de la main du côté de Lise et lui dit : « Bon, ça va. » Lise n'en était pas si sûre, mais ses pensées étaient déjà retour-nées là où elles avaient été interrompues par les jurons de son mari.

Quelque chose dans les propos de Jean avait retenu son attention. Si Murielle et Jean contrôlaient leurs désirs, est-ce que cela voulait dire qu'ils avaient fait une croix définitive sur leur appétit charnel, sur leur... sexualité? Oh, mais comme c'était bête! Comment pouvait-on se refuser ces petits plaisirs de la vie? En songeant à cette soirée de la semaine précédente, Lise se sentit rougir. Elle se rappela comment, après avoir pris un bain à l'huile de lavande, elle était descendue voir Normand qui travaillait dans son bureau au sous-sol. Elle lui avait massé les épaules puis le cou, elle avait dénoué sa cravate. Sourde à ses protestations, elle avait fait pivoter la chaise sur laquelle il était assis. Elle s'était reculée afin qu'il puisse l'observer de la tête aux pieds, puis elle avait fait glisser sa robe de chambre tout le long de son corps chaud et huileux. Nue devant son mari, elle avait fermé les yeux et elle avait attendu que les mains chaudes de Normand se promènent sur son corps, attendu que ses lèvres humides embrassent ses seins, attendu que son sexe dur se frotte contre elle et la pénètre enfin. Les yeux fermés, Lise avait entendu son mari ranger sa paperasse et éteindre son ordinateur. Ils étaient montés, Normand était allé aux toilettes pendant qu'elle s'étendait sur leur lit. Enfin, il était venu la rejoindre et lui avait fait l'amour durant une quinzaine de minutes. Puis il était redescendu au rez-de-chaussée pour regarder la télévision. « C'était délicieux, mon chéri », lui avait-elle lancé tandis qu'il quittait la chambre. Il s'était tourné vers elle et lui avait dit : « C'est toi qui es délicieuse. » Lise avait changé les draps et elle s'était couchée, légèrement exténuée mais profondément épanouie.

« Lise, ton morceau va être trop cuit », lui dit Murielle

en lui tendant sa fourchette qu'elle avait sortie du bouillon. Lise prit la fourchette : la viande était devenue d'un brun grisâtre. Lise trempa le morceau dans la sauce aux trois poivres, souffla dessus et le porta à sa bouche. En le mastiquant, elle examina Jean et tenta d'imaginer comment cet homme réagirait si elle se déshabillait devant lui. Saurait-il lui résister, dire non à un corps qu'elle avait si bien conservé et entretenu ? À un corps si délicieux ? Oh… Lise n'en était pas certaine. Elle observa Murielle. Elle s'attarda à scruter le visage de son amie : en voyant toutes les rides qui le sillonnaient, elle songea que Murielle ne devait sûrement pas utiliser la même marque de crème de nuit qu'elle. Comment Murielle pouvait-elle se négliger ainsi ? D'ailleurs, ne semblait-elle pas avoir engraissé depuis cet été ? Cinq, dix livres, sinon plus. Une petite voix lui souffla : « Avec une femme comme Murielle, Jean ne doit pas avoir tant de difficulté que cela à contrôler ses désirs. » Lise chassa cette voix pernicieuse, enroula précautionneusement une lamelle de viande autour de sa fourchette et la plongea dans le bouillon. Jean avait repris la parole et Lise fut soudainement envahie par une honte terrible d'avoir entretenu des pensées libidineuses à son endroit, ce qui, lui semblait-il, ne lui était jamais arrivé depuis les vingt années qu'ils se connaissaient.

Jean s'adressait à Normand sur un ton agressif : « Zen ou pas, pis après ? Et toi, tu ne crois en rien… tu penses vraiment que tu es au-dessus de tout, hein ? *Life's a bitch and then you die ? Who cares ?* Avant, ensuite, c'est le néant, alors pendant, on peut tout se permettre ? » Normand sortit un chou-fleur du bouillon ; il le déposa rapidement dans son assiette. Ses traits étaient tendus, il semblait contrarié : « Ce n'est pas vrai, ce que tu dis, Jean. Quand je vais à la pêche et que je suis seul dans ma chaloupe, lorsque le soleil se couche sur le lac, et qu'il y a ces oiseaux et ces sapins géants tout autour, alors je me dis que c'est la nature qui cache quelque chose, parce qu'elle est trop belle. Trop parfaite. Dieu est dans la nature. » Normand prit une longue gorgée de vin. Jean ne semblait pas accorder beaucoup de crédit aux paroles qu'il venait d'entendre ; il considérait Normand avec suspicion : « Comme ça, tu vas à la pêche… les week-ends ? Le printemps ou l'automne ? Ah ! L'hiver aussi, j'imagine, aux poissons des chenaux, bien sûr, c'est un *must*. Tu me le diras la prochaine fois que tu y vas, j'aimerais bien être de la partie, question de voir cette nature si divine. Et, dis-moi, cher Normand, pêches-tu de gros poissons ? » Murielle se plaignit : « Ouh… il fait chaud tout à coup. » Elle retira sa veste et la posa sur le dossier de sa chaise. Lise se leva et baissa le thermostat. Quand elle reprit place à table, Jean lui demanda si Normand lui rapportait plus souvent du saumon, de la perchaude, de la truite ou de la morue. Lise ne le savait pas. Normand devait être un piètre pêcheur car il ne rapportait jamais de poissons à cuisiner ; peut-être les mangeait-il sur place. De toute manière, Lise ne s'en souciait guère : elle fréquentait la meilleure poissonnerie en ville.

Elle observa à tour de rôle Normand, Jean et Murielle. Oh… Comme elle aurait voulu les convaincre que tout ce qui importait était d'être ici, maintenant, entre amis, autour de cette fondue chinoise ; que tout le reste leur échappait de toute manière ; qu'ils ne sauraient jamais avant le grand jour. Le grand jour qui arriverait, c'était certain, mais auquel il ne fallait surtout pas trop penser, car enfin n'était-ce pas trop triste ? Et qui voudrait se tourmenter pour une chose inconnue ? Lise trempa ses lèvres dans son vin avant de dire : « Dieu… Dieu… quand j'étais jeune, ces vieilles sœurs au couvent… des coups de règle sur les doigts parce qu'on ne savait pas nos prières par cœur… Dieu, mais non, mais non. Et toutes ces sectes qui pullulent : il faut faire attention. Car à la fin, peut-être qu'il n'y a strictement rien… Quoiqu'il y ait sûrement quelque chose, sans doute avons-nous tous un destin, un ange gardien, une aura, une âme immortelle, des bidules du genre, vous voyez ce que je veux dire ? Et puis après ? Faut-il pour cela refouler ses désirs… croire en un Dieu ? Non, les dieux, c'est dépassé. » À ce moment, Lise fut prise d'un terrible fou rire. Elle imagina un gros monsieur avec une longue barbe blanche, une barbe si volumineuse qu'elle fournissait le ciel en nuages ; elle imagina que le petit Bouddha pourrait s'occuper de la lessive et du repassage quand elle le lui demanderait : « Dépassé, complètement dépassé », répétait-elle à coup de petits cris stridents. Murielle joignit discrètement son rire au sien et Normand caressa la nuque de sa femme pour tenter de la calmer. Lise reprit péniblement son souffle en murmurant : « Dieu, Bouddha… mais ce sont des fables. » Elle parvint enfin à se maîtriser et sortit sa fourchette du bouillon. Le morceau de viande qu'elle y avait enroulé avait disparu. Jean, qui s'était jusque-là contenté de hocher la tête, se raidit et annonça d'une voix aux résonances prophétiques : « C'est un signe. » Lise le regarda, stupéfaite : « Ah ! Ça non, espèce de fou. Ne dis pas un truc pareil », s'exclama-t-elle, soudainement affolée. Car Lise, il faut le dire, était superstitieuse.

Il n'y avait plus de sauce au curry. Lise le remarqua. Elle prit la saucière, se leva et alla à la cuisine. Il lui en restait dans le frigidaire.

Sony grattait à la porte-fenêtre. Lise crut qu'il avait peut-être soif. Elle lui ouvrit, lui essuya les pattes avec la vieille serviette qu'elle réservait à cet usage, et le chien s'engouffra dans la cuisine avec un courant d'air frais. Il se colla contre elle en remuant la queue de gauche à droite. Lise lui caressa le crâne du bout des doigts. Sony la suivait pas à pas, limitait ses mouvements. Lise soupira : « Oh… grosse bête… qu'est-ce que tu peux être malcommode. » Il restait dans une assiette sur le comptoir de la cuisine quelques canapés au saumon fumé et à la purée de câpres ; Lise en saisit un qu'elle jeta dans la gueule du chien. Elle se lava les mains. Elle sortit du frigidaire le contenant de sauce au curry, le posa sur le comptoir, mais, au même moment, elle sentit une force la prendre à la gorge et la tirer vers l'arrière. On essayait de l'étrangler. « Oh ! non, pitié ! » parvint-elle à articuler. Était-ce là la prophétie que Jean venait d'annoncer ? Elle porta les mains à son cou. Elle y sentit le tissu tendu de son écharpe jaune, tourna la tête : le bout de l'écharpe s'était coincé dans la porte du frigidaire. Elle recula et se dégagea. Elle prit une grande respiration et les battements de son cœur retrouvèrent leur rythme régulier.

Elle sortit une cuillère et remplit le récipient de sauce au curry. Sony était toujours dans ses jambes, il se léchait les babines : « Mais n'en as-tu pas eu assez, vilain gourmand ? » le gronda Lise. Sony lui tendit sa grosse patte bien qu'elle ne la lui ait pas demandée. Lise se sentit légèrement intimidée par le regard de son chien. C'est que les yeux tendres, innocents, profonds de Sony la suppliaient. Ces yeux avaient quelque chose de tellement humain que c'en était à s'y méprendre. Et si Sony était la réincarnation d'un enfant affamé de Calcutta ? On ne sait jamais. Elle prit les canapés qui restaient dans l'assiette, traversa la cuisine, ouvrit la porte et les jeta dans la neige. Sony sortit et se riva sur son gueuleton. Enfant de Calcutta ou non, Lise ne voulait pas laisser l'animal à l'intérieur : il aurait fureté dans la salle à manger, aurait quémandé de la nourriture à ses invités, et Lise n'aimait pas cela. Elle referma la porte vitrée. Elle ne put s'empêcher d'observer son reflet dans la glace durant quelques secondes : « Mes cheveux tiennent décidément le coup… Un bijou de nouvelle coiffeuse », se dit-elle en regagnant la salle à manger, sourire aux lèvres et saucière en main.

Murielle avala un morceau de viande : « C'était vraiment délicieux, Lise, ma chérie, mais vraiment, je n'ai plus faim. » Elle déposa sa fourchette dans son assiette comme les autres l'avaient fait quelques minutes plus tôt. Elle se tourna vers son mari : « Jean, mais tu es si silencieux, cela doit bien faire vingt minutes que tu n'as pas placé un mot. » Jean haussa les épaules. « Veux-tu un café, mon vieux ? » lui offrit Normand. « Non, il n'en veut pas, avertit Murielle. Depuis quelques mois, Jean ne boit que du thé. » Normand rigola : « Une autre affaire zen. » Puis il se frappa le front de la paume de la main : « Merde ! dit-il en se tournant vers Lise. J'ai oublié d'acheter du café… Merde. » Lise le réprimanda, lui dit qu'elle l'avait pourtant inscrit sur la liste des courses qu'elle lui avait demandé de faire l'après-midi. Normand ne faisait que répéter : « Merde, chérie, désolé, j'ai complètement oublié. » Lise soupira, regarda Murielle et lui confia : « Tous les mêmes… On ne peut jamais rien leur demander. » Murielle lui sourit et lui répondit : « Mais si, ma chère : on peut leur demander une chose, mais une seule… et ça compense pour le reste ! » Les deux femmes pouffèrent d'un rire taquin et complice. Lise songea alors que Jean et Murielle avaient sûrement trouvé un moyen d'adapter leur doctrine spirituelle à leurs désirs temporels. Ou bien est-ce que Murielle n'envoyait pas là un message subtil à Jean ? Oh… Lise aurait bien aimé le savoir.

Normand se leva et annonça son intention d'aller acheter du café à ce supermarché ouvert vingt-quatre heures. « Mais c'est à l'autre bout de la ville, rétorqua Lise, et tu as trop bu pour conduire. Ne sois pas idiot. » Normand était déjà en train d'enfiler son manteau qu'il avait décroché de la patère devant la porte d'entrée : « Non, je vais y aller, c'est de ma faute après tout. Vous n'avez besoin de rien d'autre ? » demanda-t-il. Murielle s'exclama : « Mais oui, j'y pense… j'ai oublié mes cigarettes à la maison. » Normand hochait la tête en souriant : « Espèce de pseudo-zen, ne peux-tu pas contrôler ton désir de nicotine ? » Murielle affirma que non : « Surtout pas après le souper, c'est le moment le plus critique. » Elle offrit à Normand de l'accompagner, puisqu'ils avaient été tous deux victimes d'un oubli. Murielle se leva — « Non, Lise, ne te dérange pas » —, alla chercher son manteau puis revint dans la salle à manger. Jean la regardait avec des yeux lourds et interrogateurs : « Es-tu certaine, Murielle, que tu ne peux absolument pas te passer de cigarettes ? » lui demanda-t-il en appuyant sur chacun de ses mots.

Murielle lui sourit tandis qu'elle boutonnait son manteau : « Jean, sauf ton respect… j'ai en ce moment tellement envie d'une cigarette que je ferais une pipe à Bouddha s'il le fallait ! » Lise ne put retenir un rire aigu. « Oh… en voilà donc de tes grandes aspirations religieuses ! » proclama-t-elle sur un ton victorieux. Normand et Murielle avaient mis leurs bottes. « Allez, soyez prudents, bande d'oublieux ! » leur lança Lise. Ils sortirent et Lise se tourna vers Jean : « J'ai du thé Earl Grey et de la tisane… Que préfères-tu ? Je vais aller mettre de l'eau à bouillir. » Jean avait les coudes sur la table et le menton bien calé au creux de ses mains. Il fixait la chaise de Normand désormais vide devant lui. Il soupira : « Je boirais un cognac ; un double cognac. » Lise se leva, prit le couvercle de métal sur le buffet de la salle à manger et en recouvrit le petit pot de combustible qui brûlait toujours sous le réchaud à fondue. Elle emporta avec elle dans la cuisine le plat qui contenait le bouillon : « Très bien, alors, un double cognac. Je reviens dans un instant. »

Lise vida le bouillon de la fondue au-dessus du broyeur. Un champignon, deux brocolis, un chou-fleur. Aucun morceau de viande. « Je deviens folle », se dit-elle, se trouvant tout à fait ridicule de chercher ainsi la petite portion de bœuf qui avait disparu de sa fourchette. « Je suis folle… Ce morceau n'a pas pu se volatiliser ainsi… Quelqu'un d'autre l'a mangé. » Elle prépara le double cognac de Jean et, pour elle, une crème de menthe sur glace. Ses mains étaient moites. « Qu'est-ce que je suis bête… je suis complètement tarée », se répétait-elle. Mais c'était plus fort qu'elle : cela l'aurait réellement rassurée de retrouver son petit bout de viande. Elle retourna à la salle à manger, un verre dans chaque main.

Jean n'avait pas bougé. Lise lui trouva un air distant et embarrassé. Elle posa le double cognac devant lui et s'assit. Ne sachant trop de quoi l'entretenir, elle lui demanda banalement si lui et Murielle partaient bientôt en voyage. « Oui, enfin… moi, je retourne en Inde cet été. Seul. » Lise le regarda, stupéfaite. « Tu sais, j'ai besoin de me retrouver », ajouta-t-il. Lise pencha la tête sur le côté ; elle présenta à Jean un regard étonné mais empreint de compassion. Pourquoi Murielle ne lui avait-elle rien dit ? Elles s'étaient pourtant souvent parlé au téléphone ces derniers mois. Lise ne comprenait pas ce à quoi Jean voulait en venir, bien qu'elle eût une petite idée. Elle ne l'interrogea pas ; Murielle finirait bien par lui dévoiler le cœur du problème. Elle prit une gorgée de crème de menthe. C'est à ce moment que Jean entreprit de faire les cent pas dans la salle à manger. Il se rongeait les ongles, respirait fort, courbait le dos. À un certain moment, il cessa de bouger et ne fixa plus que ses pieds. Un flot de paroles se bousculèrent dans sa bouche : « Lise, les voyages de pêche de Normand, ce n'est pas un hasard, ni les congrès que Murielle s'invente chaque mois… Et le café oublié, et les cigarettes aussi, ce n'est pas un hasard… Lise, je ne voulais pas te le dire, mais je suis incapable de garder cela pour moi, et de te voir là, si innocente : Murielle et Normand ont une aventure. Je ne sais pas depuis combien de temps ça dure, mais merde, si tu voyais les cassettes vidéo que j'ai trouvées il y a trois mois… c'est d'une telle perversité, d'une telle dépravation… Ils se jouent de nous, tu comprends ? » Abasourdie, Lise dévisageait Jean. Pendant un moment, elle se crut victime d'une hallucination. Mais il se tourna vers elle, frappa du poing sur la table et hurla : « Tu comprends, Lise, toi et moi, on est cocus ! Ton Normand et ma Murielle baisent comme de vraies bêtes et ils se filment en plus de ça ! Tu comprends ? » Jean frappa de nouveau sur la table ; les assiettes et les verres vibrèrent. Lise se sentit étourdie, elle regarda Jean penché devant elle au-dessus de la table : son visage était rouge, presque mauve, sa mâchoire était contractée et ses yeux semblaient vouloir sortir de leurs orbites. Il ressemblait à un monstre, et cela l'effraya. Elle se leva, chancelante, et se rendit en titubant jusque dans le salon. Elle laissa choir dans le sofa son corps qu'elle ne sentait plus. Elle se pinça les bras, les joues, les mollets, le ventre : elle voulait revenir à elle. Jean l'avait suivie, il lui caressait maintenant les cheveux. Sa voix lui parvenait, lointaine comme l'écho : « Je suis sincèrement désolé, je n'aurais pas dû te le dire. Mais je médite seul là-dessus depuis trois mois déjà. Je n'ai rien dit à Murielle, je ne veux pas la quitter, j'en serais incapable… c'est peut-être mon karma… Mais si tu savais, je ne dors plus, j'ai perdu l'appétit, je prends du retard au boulot, je maigris… » Lise devinait la main de Jean dans ses cheveux, une grosse main douce. Tranquillement, elle la prit et la porta à son ventre. Elle la sentit, toute chaude, à travers le tissu de sa robe. C'était le seul élément qui la gardât en contact avec le monde tangible. « … Je suis cerné, nerveux, je risque un accident chaque fois que je prends le volant… » Mais Lise n'en pouvait plus d'entendre cette voix geignarde : « Je t'en prie, Jean, ta gueule », lui ordonnat-elle. Jean se tut, et le silence s'immisça entre eux durant quelques secondes. Lise percevait toujours la chaleur de la main de Jean sur son ventre. Elle comprit que la seule chose qu'elle pouvait espérer était que cette chaleur se dissémine dans tout son corps. Surgie de nulle part, la voix de son esthéticienne résonna dans sa tête : « Il faut que vous écoutiez votre corps ; il vous parle, il est votre maître. » Sans regarder Jean et sans trop savoir quelle était la force qui lui insufflait ces mots, Lise lui demanda : « Jean, prends-moi. » Elle avait le même ton que si elle lui avait demandé : « Jean, gratte-moi le dos. » Mais Jean ne réagit pas. Lise crut qu'il ne l'avait pas entendue, peut-être parce qu'elle-même doutait d'avoir parlé. Alors elle répéta sa demande d'un ton plus pressant. Jean, dont la respiration se faisait de plus en plus bruyante et saccadée, lui expliqua qu'elle était sous l'emprise de ses émotions, ce qui était tout à fait normal, mais que son désir soudain pour lui était irraisonné et que, ne serait-ce que pour son bien à elle, il ne devait pas satisfaire cette pulsion éphémère. « La ferme, Jean, et prends-moi », l'interrompit-elle d'une voix chevrotante. Elle remonta sa robe jusqu'à son nombril, souleva son bassin et retira sa culotte. Une rare frénésie la gagnait. Elle avait besoin qu'on la prenne, qu'on prenne son corps, parce qu'elle avait l'impression que c'était tout ce qui lui restait ; elle craignait que ce corps lui échappe et lui glisse entre les doigts comme elle estimait que sa vie venait de le faire.

Si seulement elle avait su comment, Lise se serait prise elle-même. Oh… mais elle ne savait pas.

Aussi hurla-t-elle une dernière fois : « Jean, prends-moi. » Jean la renversa sur la moquette du salon et se jeta sur elle.

Un terrible râle s'échappa des lèvres de Lise quand elle jouit. Ses doigts s'agrippèrent vigoureusement aux longs brins de la moquette. Elle tira très fort ; elle aurait voulu arracher cette moquette, la décoller du plancher, l'extirper, la déraciner, et la maison avec, s'il le fallait. Peine perdue : quinze ans plus tôt, elle avait choisi un modèle de moquette de qualité supérieure ; les installateurs qui étaient venus la poser avaient fait du très bon travail parce qu'ils savaient qu'ils étaient payés cher. « C'est de la moquette, ça, madame ; vous ne le regretterez pas », lui avaient-ils dit.

Lise achevait de disposer les assiettes dans le lave-vaisselle et Jean était assis devant une tasse de thé lorsque Murielle et Normand revinrent. « Oh ! la banlieue, quelle peste ! Tous ces boulevards éclairés de néons mauves et jaunes ! » s'écria Murielle. Normand alla rejoindre Lise à la cuisine : « Ça n'a pas été trop long ? J'ai dû arrêter pour prendre de l'essence. » Il déposa le sac de café sur le comptoir, et quelques grains finement moulus s'en échappèrent. Lise ne regardait pas Normand, elle regardait cette poussière de café qui souillait le comptoir de la cuisine. Elle souffla dessus, et la poudre de café disparut sans laisser de trace. Sony grattait à la porte de la cuisine et Normand le fit entrer. « Merde, mais qu'est-ce que c'est… Je crois que Sony a vomi sur le patio, dans la neige… » Lise s'approcha et jeta un coup d'œil dehors. « Oh… ce sont peut-être les canapés au saumon fumé et à la purée de câpres », murmura-t-elle, confuse. Et elle se trouva horriblement sotte. Non pas d'avoir donné des canapés à son chien, mais d'en discuter avec Normand, là, ici, maintenant, en ce moment précis, alors qu'elle aurait tant voulu lui écraser la figure dans la flaque de grumeaux jaunes et rouges qu'ils observaient tous deux côte à côte, ou encore l'enterrer sous la neige parmi les excréments de Sony, ou bien faire un trou dans la glace de la piscine creusée et le jeter dedans. Mais alors, que deviendrait-elle? Elle se sentit étourdie, comme aspirée par un effroyable abîme. Normand hochait la tête : « Lise, ma chérie, mais combien de fois devrai-je te le dire? Cesse de donner à ce chien n'importe quoi à bouffer. Elles ont l'estomac fragile, ces bêtes, tu comprends? » lui reprocha-t-il tendrement en se dirigeant vers la salle à manger suivi de Sony, qui avait la tête basse et qui souillait le plancher parce que Normand avait oublié de lui essuyer les pattes. Lise s'excusa vaguement alors que Normand avait déjà quitté la pièce. Elle referma la porte-fenêtre; elle nettoierait les dégâts demain, cela pouvait attendre. Dans le reflet de la vitre, apercevant son chignon aux mèches rebelles, elle eut la sensation qu'un vestige immuable et immobile trônait sur sa tête.

« Lise, as-tu du sucre brun pour le café? » lui cria Murielle de la salle à manger.

« Non, mais j'ai du miel si tu veux », lui hurla-t-elle à son tour. Car, eût-elle sondé l'infini, Lise n'aurait trouvé rien d'autre à répondre.

Cheap love

Depuis qu'il se prend pour un futur Fellini, c'est bien simple, Joël a la *switch* libido coincée à *off*. Il ne me regarde plus, il ne me touche plus, il ne me baise plus. Je pourrais me mettre à poil pour laver le plancher qu'il ne le remarquerait même pas ; je pourrais m'acheter des sous-vêtements mangeables à saveur de petits fruits des champs qu'il lèverait le nez dessus. J'en suis à me dire que je pourrais disparaître que ça lui prendrait une semaine avant d'avertir les poulets.

Ça fait plus de deux mois que ça dure. Depuis que son ami Fred qui travaille avec lui au restaurant l'a convaincu que n'importe qui pouvait faire des films, que c'était un art à la portée de tous, Joël est devenu cinglé. Il s'est inscrit à des cours de photo et à des cours de montage vidéo, il se tape l'intégrale de Truffaut quatre fois par semaine, le tout entrecoupé de films chinois complètement pétés et de films américains à petit budget tout à fait infects. « Mon truc à moi, dit-il, ce sera le genre *trash underground* avec un soupçon d'inspiration asiatique à la Jackie Chan, mais *soft* et intelligent en même temps, un peu Nouvelle Vague, tu vois? Ça s'est jamais fait encore. » Il affirme que, s'il réussit à présenter ses courts métrages aux bons festivals, il pourra les vendre à plus de cinquante mille dollars chacun (« US à part ça », précise-t-il). Presque tous les soirs, Fred vient chez moi ou Joël va chez lui et ils écrivent leurs scénarios. Quand je les entends discuter, j'aurais envie de rire tellement leurs histoires sont débiles et décousues, mais je ne le fais pas parce que, dans le fond, ce n'est pas drôle, c'est à cause de tout ça si ma vie de couple est devenue médiocre. L'autre soir, comme Fred était chez nous avec sa blonde, j'ai voulu savoir si elle aussi vivait le même problème que moi. Tandis qu'on était là comme deux vraies pétasses à les écouter débiter leurs idées, je me suis tournée vers elle et je lui ai demandé : « Ça te dérange pas, toi, que ton chum soit si occupé à faire des films? » Elle m'a répondu : « Non, c'est super-*cool*, je vais jouer dedans. Ils vont faire une *shot* de moi les seins à l'air avec un couteau dans le ventre. Ça va être ben *gory*. Ça payera pas, mais ça va me donner l'*exposure* dont j'ai besoin. Je veux être actrice. » Aussi fêlée que Joël et Fred, cette fille. Va pour la solidarité féminine.

Hier soir, je n'en pouvais plus. Vers minuit, je suis allée voir Joël dans le salon. Il mettait la dernière main à son premier scénario. Bien que cela fasse seulement deux mois qu'il y travaille, il m'a dit qu'il fallait qu'il le termine cette semaine, car le résultat final ne devait pas avoir l'air trop bien fignolé : « Il faut viser la spontanéité Nouvelle Vague et le petit cachet *hard-core* du *live underground*. Ça doit avoir l'air improvisé. Sinon, on va penser que je sors tout frais de l'université pis que je veux faire chier tout le monde avec un traitement de l'image trop intello. » Cause toujours, que j'ai pensé, il n'y a aucun risque qu'on croie que tu as déjà mis le bout d'un orteil dans une université avec le genre de navets que tu vas tourner. « Moi, je vais me coucher », lui ai-je dit en me déhanchant légèrement dans le cadre de la porte. Il n'a pas bronché. Quand il est venu se glisser sous les draps une heure plus tard, je lui ai carrément sauté dessus. Il n'a pas répondu à mes caresses. Il m'a dit qu'il travaillait tôt le lendemain matin au restaurant, que lui et Fred allaient faire du repérage dans les rues tout l'après-midi et qu'ensuite ils avaient rendez-vous avec le type qui leur prêtait une caméra pour leur premier film. « Je suis crevé, Caro, il faut que je dorme, mes idées doivent se reposer », a-t-il prétexté. Je n'en revenais pas. C'est franchement humiliant de se faire repousser. Comme ça l'aurait été encore plus d'insister, je me suis tournée de mon côté : « Crisse que t'es *cheap* », lui ai-je dit. « Tu comprends rien à ma nouvelle passion », m'a-t-il reproché. En effet, je m'en fiche bien : la seule chose à laquelle je pense, c'est qu'il y a un temps où c'était moi, sa passion. Il y a à peine un an, Joël était incapable de passer une seule nuit sans moi ; c'est d'ailleurs pour cette raison qu'on a emménagé ensemble. C'est si court que ça, la passion dans un couple ? Mon œil ! Même dans mes revues pour femmes de trente ans, ils disent que c'est censé durer plus longtemps.

Ce soir, je suis rentrée chez moi après mes cours. Fred était dans le salon, en train de gratter les feuilles de son carnet. Je me suis dit que je ne pouvais pas passer une autre soirée à le regarder se creuser l'âme à la recherche d'idées cinématico-trash-métal-asiatiques-mais-intelligentes. Je suis allée dans la cuisine me faire un sandwich et j'ai appelé mon *pusher* de pot, celui qui livre à domicile. Je lui ai demandé deux grammes, il m'a dit qu'il envoyait un de ses gars dans moins d'une heure. J'ai étudié un peu jusqu'à ce que le livreur arrive. Quand il a sonné, j'ai demandé à Joël d'aller lui ouvrir, le temps que j'aille chercher mon argent. « Merde, je vais perdre le fil de mon idée », a-t-il gémi en se levant. Quand je suis arrivée dans le vestibule, Joël considérait le livreur d'un œil intéressé : « Je cherche un gars comme toi pour mon film », lui a-t-il dit. Le gars n'avait pas l'air de le croire : avec la job qu'ils font, ils sont toujours un peu sur leurs gardes, les livreurs de pot. « C'est pour un rôle de bandit un peu crasse, t'as exactement le *casting* qu'il me faut », a ajouté Joël. Le gars lui a demandé combien ça payait. Joël lui a expliqué que comme lui et Fred autofinançaient leur premier court métrage, ils ne pouvaient pas verser de cachet à leurs acteurs : « Mais ça te fera une expérience de plus à mettre sur ton C.V. », a-t-il ajouté pour tenter de le convaincre. Le gars m'a donné mon petit sac de pot et je lui ai tendu mon argent. Il a regardé Joël de haut, il n'avait pas l'air impressionné. Il a reniflé très fort puis il a répondu : « Comme on dit dans le métier, *no money no candy.* » Une fois que la porte s'est refermée derrière le livreur, Joël a levé les bras au ciel, puis il a crié : « Le jour où je vais être célèbre, il va le regretter. »

Je suis allée dans la cuisine et j'ai fumé mon joint. Joël est venu me rejoindre et il a tiré un peu dessus : « Pour l'inspiration », a-t-il dit. Il m'a demandé ce que je faisais ce soir. « Je vais voir mon amant, lui ai-je dit d'un ton tout à fait détaché. Tu sais, l'ami de Martine qui me trouve de son goût ? » Je voulais seulement piquer Joël, le tester, pour voir. Il a secoué la tête, il est resté silencieux quelques secondes, puis il m'a répondu d'une voix beaucoup trop neutre à mon goût : « Non, je ne vois pas qui c'est, mais je te comprends, t'en as sûrement besoin. Moi, je dois me consacrer corps et âme à mes films ; quand ça va démarrer pour de bon tout ça, je te promets que je redeviendrai présent. Entre-temps, si tu as un amant, je crois que je préfère ne pas le savoir. T'es quand même ma blonde, Caro : tes histoires risquent de nuire à mon travail créatif. Rien ne doit me déconcentrer, tu comprends ? Même pas toi. Alors désormais, ne m'en parle plus, s'il te plaît. Tu peux faire ça pour moi ? » Il s'est servi un verre de jus puis il est retourné dans le salon.

Avec une réaction comme celle-là, je me suis demandé pourquoi je lui aurais dit que c'était juste une blague. Même si je n'avais pas l'intention de sortir ce soir, vers neuf heures, je suis allée prendre une bière au café du coin. Je m'y éternise depuis près de trois heures maintenant, soit le temps que ça m'aurait sans doute pris pour aller voir un amant. La seule chose que j'espère, c'est que Joël sera tout déconcentré, tout torturé, tout à l'envers, à un point tel qu'il ne pourra plus écrire ses foutus scénarios à la con. Je ne me laisserai pas faire. S'il le faut, je reviendrai ici tous les soirs.

Le brunch

Comme c'était un menu spécial, le choix s'avérait plutôt limité. Le carton placé au centre de la table sous un plastique orné de taches de doigts graisseux indiquait ceci : crêpe nature, crêpe au fromage ou crêpe au jambon-fromage. En extra, on pouvait prendre du sirop d'érable ou de la sauce béchamel. Le café était inclus, mais celui que contenait la cafetière devant nous était froid. Mon oncle François s'est levé pour aller saluer des gens.

— Ça fait un peu dur comme endroit, nous a dit maman en jetant de discrets coups d'œil autour de nous.

Elle avait grandement raison : c'était une vieille crêperie aux murs de bois crasseux décorés d'objets désuets insignifiants comme des plaques d'immatriculation et des bouteilles de coke. Les rideaux des fenêtres étaient jaunes, mais il était difficile de savoir s'il s'agissait de leur couleur naturelle. Un rayon de soleil passait à travers les vitres et illuminait un nuage de poussières en suspension dans la salle à manger.

— Mais non, maman, lui ai-je dit. C'est juste une atmosphère à la bonne franquette.

Mon frère Thierry a approuvé de la tête. Maman n'avait pas l'air convaincue, mais elle a fini par sourire. Elle a caressé la main à chacun de nous et a pris une grande respiration.

— Les garçons, merci d'être venus.

Thierry et moi, on lui a répondu que ça nous faisait plaisir d'être ici. J'en ai rajouté, disant qu'après tout c'était important et enrichissant d'entretenir des liens avec sa famille. Au même moment, mon oncle François est revenu s'asseoir à table et Thierry m'a glissé à l'oreille :

— Julien ! Pousse, mais pousse égal !

— Mais oui, t'énerve donc pas.

C'est qu'au début mon frère et moi, on ne voulait pas venir du tout. Quand maman nous avait lancé l'invitation, on était en train de regarder un film avec nos blondes dans le sous-sol. Elle s'était pointée avec un panier de linge sale dans les bras et nous avait dit : « Votre tante Suzanne vient de m'appeler, il y a le gros brunch annuel avec toute la famille Lavallée dans le coin de Val-Morin dimanche prochain. Vous allez venir avec moi ? » Elle avait poursuivi son chemin jusque dans la salle de lavage. Thierry s'était tourné vers moi et m'avait demandé : « C'est qui, matante Suzanne ? » J'avais hoché la tête et je lui avais demandé : « C'est où, Val-Morin ? » Amélie et Josianne nous avaient dit « chut ! » parce qu'elles loupaient les dialogues du film. Alors Thierry et moi, on s'était contentés de soupirer. J'avais eu de la difficulté à suivre la fin du film parce que je trouvais cela plutôt inquiétant que maman commence à courir les brunchs annuels de sa famille ; la solitude devait lui peser lourd. Heureusement, c'étaient Thierry et

Josianne qui avaient choisi le film au club vidéo et, comme d'habitude, c'était un pur navet.

— Vous avez pas emmené vos blondes, les 'tits gars? nous a demandé mon oncle François.

Thierry a répondu qu'elles étaient parties en ski ce week-end. Maman a affiché une mine déçue, on aurait dit qu'elle regrettait à présent de nous avoir interdit d'inviter Amélie et Josianne à nous accompagner. Quand on le lui avait demandé, maman nous avait dit: «Je préférerais qu'on soit juste tous les trois. Je n'ai pas vu ma famille depuis si longtemps.» Thierry s'était fâché en rétorquant qu'en plus d'aller s'emmerder dans un brunch avec des matantes et des mononcles inconnus, il ne pourrait même pas voir Josianne ce jour-là parce qu'elle travaillait les dimanches soir. Moi, je m'étais demandé depuis quand ça le dérangeait de ne pas voir sa blonde. «C'est pas juste des inconnus qu'il va y avoir! lui avait répondu maman. Vous vous souvenez quand même de mononcle François!»

Ah! Ça! Pour s'en souvenir, on s'en souvenait. C'était le frère du père de maman, celui-là même qui nous gardait quand Thierry et moi étions enfants et que papa et maman partaient en vacances. Il habitait une grosse ferme dans le coin de Venise-en-Québec. Sa femme, une vraie marâtre qui avait fini par crever d'un cancer de je ne sais trop quel organe, nous obligeait à manger du foie de veau: «C'est plein de fer, les 'tits gars, vous allez avoir des muscles pareils à ceux de Popeye», nous disait-elle. Mais mon frère et moi, on détestait la seule odeur du foie de veau quand elle le mettait à griller au poêlon dans un lac de beurre fondu; on lui demandait des hamburgers à la place. Rien n'y faisait: elle nous servait, s'assoyait à table et attendait qu'on mange. Ni Thierry ni moi ne cédions ; alors, pour nous punir d'avoir laissé sécher notre foie de veau dans le coin de notre assiette, elle nous mettait à l'eau et au pain sec pour le restant de la semaine. Toujours est-il que Thierry avait visé juste, car il n'y avait personne à ce brunch qu'on connaissait, sauf mon oncle François, bien sûr, mais lui, il ne nous rappelait pas de bons souvenirs, en tout cas pas à moi. Et comme les frères et les sœurs de maman ne fréquentaient pas les brunchs annuels de la famille Lavallée, ni nos cousins ni nos cousines n'y étaient, si bien que Thierry et moi étions les plus jeunes dans la salle. On se serait crus dans un club d'âge d'or.

Quand Thierry a eu fini de mentir à mon oncle François avec cette histoire de nos blondes parties au mont Sainte-Anne, celui-ci a reculé sur sa chaise :

— Je suis soulagé alors ! Je pensais que vous ne les aviez pas emmenées parce que vous aviez peur que je vous les vole. Ah ! Ah ! Ah !

Thierry m'a donné un coup de pied sous la table et il m'a regardé du coin de l'œil. Je crois que, avec un commentaire comme celui-là, nous n'étions plus si mécontents d'être venus seuls à ce brunch, car s'il avait fallu qu'Amélie et Josianne nous accompagnent, on aurait eu vachement honte. Maman est devenue toute rouge et je pense que mon oncle François l'a remarqué :

— Maudit, Estelle, a-t-il soupiré, pardonne-moi. J'ai tellement une grande gueule que je finis toujours par dire des niaiseries.

Maman lui a dit de ne pas s'en faire avec ça, mais sa voix n'était pas très convaincante.

Avec l'allusion qu'il venait de se permettre, je me suis

demandé comment mon oncle François savait non seulement que papa avait quitté maman pour une autre femme, mais pour une femme plus jeune. « Il nous a crissés là pour une fille de vingt-six ans ! » nous avait répété maman en pleurant sans cesse les jours qui avaient suivi le départ de papa. Celui-là, il lui a vraiment menti jusqu'à la dernière goutte en ne lui avouant même pas l'âge véritable de sa Lolita, parce que trois semaines plus tard j'avais découvert qu'elle était encore plus jeune que cela. Thierry s'était entendu avec papa pour l'aider à déménager, mais il avait oublié qu'il avait un match de hockey cet après-midi-là. Alors il m'avait supplié de le faire à sa place parce que papa lui avait promis des meubles pour notre futur appartement. Papa m'avait prêté sa voiture afin qu'Amélie et moi transportions jusqu'à son nouveau condo quelques boîtes contenant des objets fragiles, qui étaient restées dans son bureau à la maison. Nous avions déposé les boîtes et nous étions partis immédiatement parce que nous ne tenions pas plus qu'il le faut à croiser sa nouvelle blonde : « Restez un peu, je vais vous présenter Julie », nous avait-il dit. Je lui avais répondu assez sèchement que nous avions autre chose à faire. Malheureusement, en descendant les escaliers du chic immeuble, nous l'avions aperçue, la fameuse Julie, qui sortait de sa voiture quelques plantes. Elle portait une minijupe à carreaux, et deux petites tresses brunes dansaient au-dessus de ses épaules. Elle ne nous avait pas remarqués et, tandis que nous poursuivions notre chemin, Amélie m'avait serré le bras si fort que ses ongles avaient presque transpercé mon manteau : « C'est Julie Brouillette ! m'avait-elle dit d'un ton paniqué. Julie Brouillette ! Elle était dans ma classe au secondaire ! » Cette nouvelle information ne donnait que vingt et un ans à la fille en question. « Je te parie que, déjà à quinze ans, elle baisait avec tous les professeurs de ton école ? » avais-je demandé à Amélie. « Ben voyons ! m'avait-elle répondu. Tu sais très bien qu'au secondaire j'étais chez les sœurs. » J'étais contrarié. « En tout cas, avais-je ajouté, pour sortir avec mon père qui a presque trente ans de plus qu'elle, c'est certain que le complexe d'Œdipe de cette fille ne s'est jamais résolu. » Amélie s'était immobilisée sur le trottoir et, très sérieusement, elle m'avait confié qu'elle croyait que c'était mon père qui avait un problème dans toute cette histoire : « Ne viens pas me faire croire que tu n'as jamais remarqué cette manière qu'il avait de regarder Josianne quand Thierry l'invitait chez toi. D'accord, tu vas me dire qu'elle a de gros seins, mais ce n'est quand même pas une raison. » Je lui avais reproché de fabuler : mon père n'était quand même pas un pervers qui trippait sur des filles de vingt ans ; pourtant, je savais qu'Amélie n'avait pas tort. Non seulement il m'était souvent arrivé de remarquer comment mon père dévisageait grossièrement la blonde de mon frère, mais je trouvais cette manière qu'il avait de faire la bise à Amélie tout à fait étrange : il l'empoignait par les épaules, l'attirait langoureusement vers lui et, chaque fois, j'avais l'impression qu'il laissait son visage près du sien quelques secondes de trop. Quoi qu'il en soit, ce jour-là, j'avais prié Amélie de ne pas dire à maman l'âge réel de la fille. Je ne sais pas pourquoi, mais je pense que ces cinq années de moins auraient empiré son humiliation, qui était assez grande comme ça. Pour ma part, j'étais bien content que papa soit parti de la maison. Ces dernières années, il nous critiquait sans cesse, Thierry et moi. Il trouvait que nous étions des bons à rien parce que nous avions refusé d'étudier le droit à l'université. D'abord, c'était Thierry qui avait choisi l'éducation physique et, l'année suivante, j'avais fait exprès de couler l'examen d'entrée en droit afin de m'inscrire en anthropologie. Malgré tout, Thierry ne s'en tirait pas si mal avec lui : comme il était sportif, ils allaient voir des matchs de hockey ensemble, parlaient de golf et de tennis. Pour moi, c'était plus difficile de l'entretenir du chaînon manquant et de la survie des espèces les mieux adaptées ; il trouvait ça trop théorique. Et s'il avait fallu que j'apprenne le Code civil par cœur, il aurait trouvé ça plus amusant sans doute ? Qu'il aille au diable ! Je ne l'ai pas revu depuis cette fois où je l'ai aidé à déménager. D'ailleurs, je n'aurais même pas dû lui rendre ce service : Thierry et moi n'avons jamais vu la couleur de ces meubles qu'il nous avait promis. Mon frère, il va parfois manger avec papa le midi. Il m'invite toujours, mais je refuse chaque fois parce que maman est convaincue que nous avons coupé tous les ponts avec lui. C'est pour cette raison que je reproche à Thierry de se comporter comme un sale traître. Mais ce n'est pas nouveau : la première fois que je lui ai découvert ce défaut, c'est quand il a été admis dans l'équipe de football du collège et qu'il s'est mis à bouffer du foie de veau une fois par semaine.

Un vieil homme qui avait une cigarette éteinte pendue à son bec s'est avancé vers notre table :

— Comment vont tes vaches, Frank ? a-t-il demandé à mon oncle en lui donnant une grosse claque dans le dos. Eh ben ! Si c'est pas Estelle ! Estelle !

Il avait reconnu maman, qui, elle, ne semblait pas le reconnaître. Il a secoué la tête sans la lâcher des yeux.

— J'ai entendu dire, pour ton mari, a-t-il continué bien fort. Je pense que c'est Suzanne qui l'a dit à Claudette qui l'a dit à Rita qui l'a dit à ma femme. En tout cas, c'est plate, mais qu'est-ce que tu veux, la vie continue, hein ?

Maman lui a souri poliment puis elle a baissé les yeux. Le vieil homme a continué de s'entretenir avec mon oncle François. Autour de nous, la salle à manger se remplissait. De partout, les regards se tournaient vers maman et les bouches s'approchaient des oreilles pour y murmurer quelques mots. La plupart des gens hochaient tristement la tête. Tout le monde semblait reconnaître maman, mais personne n'osait s'approcher d'elle ne serait-ce que pour lui dire bonjour. Je me suis demandé ce que maman pouvait bien être venue chercher ici. Quel réconfort lui apporteraient tous ces gens qu'elle n'avait pas vus depuis si longtemps ? De quel miracle soudain les espérait-elle capables ? Jamais il ne nous était arrivé auparavant d'assister au brunch annuel de sa famille paternelle, alors pourquoi aujourd'hui ?

Le vieillard est parti se rasseoir et quelques serveurs se sont promenés dans la salle en poussant devant eux des meubles à roulettes. À chaque table, ils demandaient : « Fromage, jambon-fromage ou nature ? » Les crêpes étaient précautionneusement gardées au chaud à l'aide d'une feuille d'aluminium qui recouvrait chaque assiette.

— On dirait de la bouffe d'hôpital, a dit Thierry en prenant une première bouchée de sa crêpe.

— À l'hôpital, c'est ben pire, mon 'tit gars, lui a confié mon oncle François. C'est ça qui a tué ma femme.

Thierry a repoussé son assiette. Maman non plus n'aimait pas sa crêpe, ça se voyait dans ses yeux. Moi, je trouvais la mienne tout à fait infecte, mais je l'ai mangée pour sauver les apparences et pour ne pas qu'on ait l'air d'une bande d'ingrats, tous les trois : maman n'avait pas vu sa famille depuis longtemps et elle ne la reverrait probablement pas de sitôt, alors c'était aussi bien que ces gens gardent un bon souvenir de nous.

Après le repas, maman s'est levée pour aller parler avec quelques vieilles dames assises plus loin, les sœurs de son père, sans doute. Je crois qu'elle ne les avait pas revues depuis la mort de ses parents qui remontait à une dizaine d'années. Mon oncle François s'est levé, lui aussi, en nous disant qu'il allait se dégourdir les jambes. Je me suis allumé une cigarette et Thierry m'a demandé ce que je pensais des plaques d'immatriculation sur les murs. Je lui ai avoué que je trouvais cela affreux. L'air contrarié, il m'a répondu qu'il trouvait que ça avait un certain cachet et que c'était une bonne idée de décoration pour notre futur appartement.

— On va aller se promener dans les cimetières de voitures à la recherche de vieilles plaques d'immatriculation américaines, O.K.? a-t-il ajouté.

Je lui ai dit qu'avant de se casser la tête à la recherche de ce qu'on allait mettre sur les murs de notre futur appartement, encore fallait-il trouver l'appartement en question qui allait nous plaire à tous les deux. « Ouais, ouais, t'inquiète pas, Julien, on va finir par trouver quelque chose, O.K.? » a-t-il lancé. Cette idée de louer un appartement avec moi avait germé dans l'esprit de Thierry durant les vacances de Noël. Quelques-uns de ses amis habitaient déjà en appartement et Thierry croyait que c'était cela, la belle vie. Il m'avait parlé de son projet : « Il faut faire le grand saut », avait-il dit. Il laissait entendre qu'on aurait la liberté d'inviter nos blondes chez nous quand ça nous plairait, et puis d'autres filles aussi, si ça nous disait. Il m'avait dit : « *Come on,* Julien, on part en appart ! » Je suis si mou des fois que je lui avais répondu « O.K. », comme s'il m'avait demandé de lui rendre un service anodin, de la même manière que le samedi soir précédent, lorsqu'il m'avait lancé en descendant les marches de la maison : « Julien, si Josianne m'appelle, dis-lui que je suis parti arbitrer un match de hockey, ou plutôt dis-lui que je suis parti à une réunion pour l'équipe de football, O.K. ? » « O.K. », avais-je répété. Cependant, Josianne n'avait pas appelé ce soir-là.

Tandis que les serveurs débarrassaient les tables, Thierry continuait de me parler de ces horribles plaques d'immatriculation, mais je ne l'écoutais que d'une oreille. J'observais maman, entourée de vieilles dames qui jacassaient sans arrêt alors qu'elle, elle ne disait rien. Elle regardait ses ongles, et sans doute ne suivait-elle même pas la conversation. Ça ferait bientôt trois mois que papa était parti, il avait claqué la porte pour la dernière fois le 15 janvier, je m'en souvenais parce que c'était la veille de mon anniversaire. Autant dire que je n'avais pas fêté bien fort mes vingt-deux ans. Je me suis demandé combien de temps ça prenait pour oublier l'homme avec qui on avait vécu plus de vingt ans. Quand j'avais voulu consulter la psychologue de l'école, la secrétaire m'avait dit qu'il n'y avait pas de place avant trois semaines, alors j'avais laissé faire. De toute manière, je ne sais pas trop de quoi je lui aurais parlé. Des vices de mon père et de la peine que j'éprouvais de ce que la nature n'ait su me donner mieux que lui ? De ma mère qui m'inquiétait ces soirs où elle restait éveillée jusqu'au petit matin dans la cuisine à boire de la tisane et à regarder des piles d'albums de photos? Quand elle parlait de papa, maman le traitait souvent de crétin, mais si c'était moi qui me permettais de le traiter de chien sale, alors elle s'énervait, me disant qu'elle n'aurait jamais eu deux enfants avec un chien sale. Mais qu'est-ce qu'il était, dans ce cas? Elle ne semblait pas avoir d'idée très claire à ce sujet. Aussi n'étais-je pas certain qu'elle soit prête à vivre notre départ de la maison. Quand j'en parlais à Thierry, il me disait que je m'inquiétais pour rien; lui, il était convaincu que maman se remettait très bien du départ de papa : « Elle est belle, notre mère. Aussitôt qu'on sera partis, je te parie qu'un nouvel homme va emménager dans la baraque. » Mais les choses étaient-elles si simples que cela? Maman n'allait-elle pas au contraire se sentir encore plus seule si nous la quittions? Thierry m'objectait que je n'allais pas pouvoir vivre éternellement accroché à ses jupes, et que, dans toute cette affaire de divorce, nous n'avions rien à nous reprocher. « Et puis ce n'est pas nous qui allons réussir à la rendre heureuse. On ne peut rien faire de plus pour elle que de continuer à l'aimer comme deux grands garçons, et ses grands garçons, ils ont le nombril sec et ils s'en vont vivre en appartement. » Je le trouvais bien optimiste, Thierry.

Un vieil homme, le même que maman n'avait pas reconnu plus tôt, a monté sur une espèce de scène bricolée au fond de la salle. Cette scène n'était en fait qu'une large planche supportée par quatre caisses de lait en plastique. Au micro, l'homme a fait « un-deux-un-deux » pour attirer notre attention. Les gens dans la salle se sont tus peu à peu, et l'homme a amorcé son discours avec un « Bienvenue, mesdames et messieurs, au brunch annuel de la famille Lavallée ». Il tenait quelques feuilles toutes froissées dans ses mains tremblotantes ; il a lu une dizaine de noms qui figuraient sur la première d'entre elles en spécifiant qui ils étaient : la femme d'un tel, le cousin d'un tel autre, etc. Quelques personnes dans la salle se sont mises à pleurer et Thierry m'a regardé en fronçant les sourcils d'un air interrogatif.

— Et maintenant, a fini par dire l'homme, observons la traditionnelle minute de silence pour ces membres de la famille Lavallée qui nous ont quittés cette année, pour un monde meilleur, espérons-le.

Dans la salle, on n'entendait plus que le murmure des employés et le bruit de la vaisselle qui s'entrechoquait dans la cuisine. L'homme a regardé sa montre et il a attendu quelques secondes avant de dire : « O.K., c'est fini, les amis. Maintenant, je vais vous annoncer les activités organisées par les membres de la famille Lavallée pour l'année qui s'en vient. Madame, monsieur, sortez vos crayons. »

Maman m'a adressé une moue découragée. Peut-être regrettait-elle d'être venue à ce brunch. Sans doute avait-elle idéalisé cette réunion de famille en s'imaginant que le contact avec ses origines lui aurait procuré une raison d'être. Toutefois, je lui trouvais l'air désillusionné.

L'homme au micro n'en finissait plus avec ses parties de pêche au mois de juin, ses parties d'huîtres au mois de septembre, les démonstrations Tupperware trimestrielles chez l'une et les parties de bingo mensuelles chez l'autre. Thierry n'a pas pu s'empêcher de rire, si bien que je me suis laissé aller aussi. Mon oncle François nous a demandé si nous souhaitions nous inscrire à l'épluchette de blé d'Inde qui aurait lieu chez lui le 15 août :

— C'est cinq piastres par personne, nous a-t-il dit,

mais pour vous autres, les 'tits gars, je peux baisser le prix à quatre piastres.

Il a agité sous notre nez une enveloppe sur laquelle deux ou trois noms étaient inscrits et qui contenait quelques billets de cinq dollars. Thierry lui a dit que l'épluchette tombait malheureusement le jour de l'anniversaire de sa blonde et qu'il avait déjà fait une réservation dans un grand restaurant.

— Pis toi, Julien, m'a demandé mon oncle François, vas-tu venir?

J'ai secoué la tête en lui disant que ma blonde était la sœur jumelle de celle de Thierry. Mon oncle François s'est levé en se frottant les reins et il est allé quêter des inscriptions aux autres tables.

— En tout cas, si ta blonde était la jumelle de la mienne, elle aurait des plus grosses boules, a blagué Thierry.

— Ou bien ce serait la tienne qui en aurait des plus petites.

Autour de nous, la salle était agitée par un véritable brouhaha : les gens récoltaient l'argent pour les activités qu'ils organisaient, les autres s'inscrivaient. Pendant ce temps, quatre vieilles dames grimpaient de peine et de misère sur la scène. Maman est revenue s'asseoir à table et je lui ai demandé qui étaient ces femmes.

— La grosse, c'est ma tante Suzanne, mais les autres, j'ai oublié leurs noms.

Thierry lui a demandé si on s'en allait bientôt.

— Je m'emmerde dur, moi aussi, lui a-t-elle répondu. On file tout de suite après leurs discours.

Mon oncle François est venu nous rejoindre en se plaignant de n'avoir récolté aucune inscription :

— Fernand fait son méchoui la veille de mon épluchette, c'est certain que les gens viendront pas chez nous le lendemain à midi, a-t-il dit. Torieux! Va falloir faire des règlements pour l'année prochaine. Ça fait quinze ans que j'organise des épluchettes, je me laisserai pas détrôner de la sorte.

« Un-deux-trois », a dit la grosse tante Suzanne dans le micro. Chacun a regagné sa table. Très vite, un drôle de silence s'est installé dans la salle.

— Bonjour à tous, a dit la tante Suzanne.

Maman a poussé un soupir et ça m'a fait sourire. Ensuite, la grosse Suzanne a commencé son discours en parlant d'une femme que toute la famille aimait beaucoup et qui, pour la première fois, assistait au brunch annuel. J'ai vu maman se tortiller légèrement sur sa chaise tandis que des regards dans la salle se tournaient vers notre table. La tante Suzanne a continué en disant que quelque chose de troublant était arrivé à cette femme cette année; sensibles à tous ces événements, Rita, Claudette, Monique et elle-même s'étaient réunies durant la semaine afin de lui composer une chanson qui avait pour but de lui redonner du courage. Maman, qui est devenue toute rouge, a secoué la tête désespérément. Les quatre dames ont collé leur bouche contre le micro et elles ont annoncé en chœur « une chanson d'espoir, juste pour toi, Estelle » en désignant maman du doigt.

Si ce n'étaient des gens qui se sont mis à frapper des mains pour marquer le rythme, il n'y avait pas d'accompagnement musical. Les femmes ont chanté a capella sur l'air d'*À la claire fontaine,* mais il fallait vraiment le savoir parce que c'était tout à fait discordant. Il a été question d'une petite fille de Repentigny et qui aimait se régaler des gâteries de ses tantes après l'école, d'une petite fille qui avait grandi et qui avait fait de brillantes études en comptabilité avant de croiser sur son chemin un méchant loup qu'incarnait sûrement mon père. Je ne me souviens plus du reste de la chanson, mais le refrain que les femmes ont dû répéter au moins cinq fois à l'unisson avec tous les autres vieux dans la salle donnait ceci :

> Estelle, tu es si belle,
> Jette ton ex aux poubelles,
> Ta jeunesse est éternelle,
> Bâtis-toi donc une vie nouvelle.
> Il y a longtemps que l'on t'aime,
> Te souviens-tu de notre sucre à la crème ?

Maman n'arrêtait plus de secouer la tête et de grosses larmes se sont mises à couler sur ses joues. Je lui ai pris la main et je l'ai serrée très fort dans la mienne. Thierry était abasourdi, il répétait sans cesse « Ça se peut pas », tandis que mon oncle François, encourageant, essayait de faire avaler à maman que cette chanson était sans doute la plus belle preuve d'amour que les membres de sa famille lui avaient jamais rendue.

— Pleure, Estelle, vas-y, pleure. Y'a rien de mieux pour faire sortir le méchant.

Quand maman a entendu cela, ses larmes se sont transformées en sanglots ; au moment même, la scène sur laquelle se tenaient les quatre vieilles s'est écroulée. La planche devait être pourrie parce qu'elle s'est littéralement fendue en deux. Les vieilles se sont retrouvées sur les fesses à hurler de douleur ; le micro s'est mis à cracher des sons stridents. Un employé de la crêperie est sorti en catastrophe de la cuisine en criant que cette scène n'était pas faite pour supporter quatre personnes, mais bien une seule, et que la crêperie n'était en rien responsable de cet accident. Tous les vieux de la place s'étaient précipités vers la scène pour porter secours aux quatre vieilles, et il ne restait plus que nous trois d'assis à une table.

— Les gars, s'il vous plaît, sortez-moi d'ici, nous a demandé maman entre deux sanglots.

Thierry l'a aidée à se lever de sa chaise ; moi, j'ai pris soin de lui recouvrir les épaules avec son manteau, et nous sommes partis sans que personne ne s'en rende compte.

Dehors, il tombait une petite neige grise. Nous avons traversé le stationnement. Maman séchait ses larmes et reprenait peu à peu ses esprits, mais elle a préféré ne pas conduire. Elle a tendu ses clefs à Thierry. Il s'est assis derrière le volant et a mis le moteur en marche tandis que maman prenait place toute seule sur la banquette arrière. Je me suis assis sur le siège du passager.

— Maudite bande de malades, a dit maman.

Sur la route de campagne, nous avons croisé une ambulance et je me suis demandé si elle se dirigeait vers la crêperie. Ensuite, nous avons filé sur l'autoroute en direction de Montréal. Thierry et moi, on ne disait rien. À un certain moment, j'ai regardé maman. Elle observait le paysage qui défilait sous ses yeux comme une passagère dans un train qui ne sait pas trop où on l'emmène. Elle s'est assoupie vers Blainville, mais on l'entendait respirer bruyamment. Thierry m'a fait remarquer en chuchotant que les vieilles n'avaient même pas parlé de nous dans leur chanson, mais je lui ai dit que c'était aussi bien comme ça, et il a été d'accord avec moi. Une lumière rouge sur le tableau de bord s'est mise à clignoter et nous avons dû sortir à Rosemère pour faire le plein.

Au garage, Thierry est descendu de la voiture car c'était un libre-service. Je me suis retourné de nouveau pour regarder maman. Son visage était rouge et boursouflé. Je me suis étiré et j'ai remonté son manteau sur sa poitrine pour qu'elle ne prenne pas froid. J'ai voulu lui caresser la main, mais elle l'a retirée d'un sursaut nerveux. Qu'est-ce que j'aurais donc pu faire de plus pour elle? Il me semblait que j'étais impuissant devant sa douleur, et j'ai maudit mon père dans ma tête, mais ça n'a rien changé. « Maman, maman », ai-je murmuré. Maman quoi? Quels mots étais-je en mesure d'aligner derrière celui-là qui pouvait signifier tant de choses mais qui sonnait si creux dans ma bouche? Pendant que Thierry payait, j'ai pleuré un peu. Ensuite, je l'ai vu revenir vers la voiture avec un gros paquet dans les bras et j'ai écrasé mes larmes sur mon écharpe.

Thierry m'a prié de prendre sur mes genoux la boîte qu'il rapportait. Il a fait démarrer la voiture en jetant un coup d'œil triste sur maman. Il a murmuré que je lui devais cinq dollars parce qu'il venait d'acheter un ensemble de douze verres en plastique que la compagnie pétrolière offrait pour seulement dix dollars aux clients qui faisaient un plein de vingt dollars et plus. « J'ai juste mis quinze piastres de gaz, mais la caissière me les a laissés quand même, a-t-il ajouté. Ça nous fait ça de plus pour notre appartement. » J'ai observé le carton d'emballage de la boîte : en gros plan figurait une photo de quatre verres en plastique bleu, jaune, rouge et vert. En haut, à gauche, il y avait une autre photo. Dans un jardin, autour d'une table ronde, on voyait une femme assise en compagnie de deux petits garçons et d'un homme, ses fils et son mari, sans doute. Chacun souriait devant un verre de couleur différente. Au centre de la table reposaient une carafe de lait et une carafe de jus d'orange. La maman était sur le point de se lever pour servir les membres de sa famille. Près des carafes, il y avait un vase débordant de fleurs magnifiques. Peut-être que la maman venait de les recevoir en cadeau de son mari ou de ses enfants, je ne le sais pas, en tout cas, les fleurs étaient bleues, jaunes, rouges et vertes, exactement comme les verres, et la toile du parasol au-dessus de la table était également de ces quatre teintes. Ça scintillait. Le ciel était sans nuage, le gazon d'un vert éclatant, le jus avait l'air bon, le lait avait l'air frais, les gens étaient heureux et les verres réfléchissaient si vivement la lumière du soleil qu'on aurait dit qu'ils étaient en cristal. C'était vraiment féerique, ce qui se passait dans ce jardin. Sous la photo, en caractères minuscules, on pouvait lire : « *Serving suggestion*. Présentation suggérée », mais qui est-ce qui aurait bien pu reproduire une pareille scène ?

J'ai déposé la boîte à mes pieds au moment où on rejoignait l'autoroute.

— Les aimes-tu ? m'a demandé Thierry.

J'ai sorti mon portefeuille et je lui ai donné ses cinq dollars. Il a mis le billet dans la poche de son manteau.

— Ça fait une affaire de réglée, a-t-il conclu.

J'ai regardé dehors. De la buée s'est formée sur la vitre à cause de mon souffle.

— Tu parles !

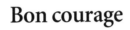

Bon courage

Quand j'ai ouvert la porte, ma mère se tenait toute droite. On aurait dit que cela lui demandait un effort. On était au mois d'octobre et elle portait un foulard bleu sur la tête. J'ai cru qu'elle avait maigri, mais ensuite je me suis dit qu'elle avait peut-être tout simplement vieilli. « Entre donc », lui ai-je proposé, car elle n'osait pas bouger, un peu comme si elle s'était coincé un nerf de la colonne vertébrale à force de vouloir la redresser.

— Lisa, je m'excuse, je sais que ça t'embête, mais c'est juste pour une nuit, a-t-elle dit en serrant sur sa poitrine sa petite valise de toile cirée grise.

J'ai regardé sa valise et elle s'est de nouveau confondue en excuses en m'assurant qu'elle avait bien secoué tous les vêtements qu'elle y avait rangés. J'ai refermé la porte derrière elle. Finalement, en dénouant son foulard bleu, elle m'a dit :

— T'inquiète donc pas, j'en ai pas amené avec moi.

— J'espère bien, lui ai-je répondu. Il ne manquerait plus que ça.

Tandis que ma mère déposait sa valise près du sofa-lit dans le salon, je me suis demandé : « Il ne manquerait plus que ça à quoi ? » J'aurais pu réfléchir longtemps à cette question, mais le téléphone a sonné. Pour une fois, je n'avais pas à craindre que ce soit elle à l'autre bout du fil qui m'appelle pour me raconter ses problèmes. Je suis allée répondre dans la cuisine.

La semaine précédente, ma mère m'avait téléphoné, paniquée : son immeuble était envahi par les coquerelles. Elle m'avait demandé si elle pouvait venir dormir chez moi une nuit, le temps qu'on désinfecte son logement à grands coups de produits chimiques. L'opération était prévue pour la semaine suivante. Elle n'avait nulle part où aller : « J'ai demandé à mes assurances qu'elles me paient une nuit au motel, mais on m'a dit que j'étais pas couverte pour les coquerelles. »

Que pouvais-je faire ? J'ai accepté de l'héberger.

J'ai raccroché le téléphone et j'ai mis l'eau à bouillir pour faire du thé. Ma mère est venue me rejoindre dans la cuisine.

— Vous avez peinturé vos portes d'armoires ? m'a-t-elle demandé en s'assoyant.

— Non, on a déménagé.

— Ah oui, c'est vrai, s'est-elle rappelé avant d'ajouter : Moi aussi, s'il y a encore des coquerelles chez moi demain, je déménage. Il paraît que c'est dur à tuer, ces bibites-là. C'est ben résistant. Pis ça se reproduit à une vitesse folle. C'est pas drôle.

J'ai déposé la théière et deux tasses sur la table. Je lui ai dit qu'en effet il n'y avait pas de quoi rire. Elle a regardé l'heure au-dessus de l'évier : il était cinq heures trente.

— Maudit, je vais manquer mon quiz ! a-t-elle dit en sursautant.

Elle s'est précipitée au salon.

Mon thé était beaucoup trop chaud. Je me suis levée et j'ai ouvert le frigidaire. Il y avait un paquet de viande hachée. Je me suis demandé : « Pourquoi pas des hamburgers ce soir ? » Après tout, c'était un repas facile à préparer. Le paquet était mal emballé ; quand je l'ai posé sur le comptoir, j'avais du sang dans le creux de la main.

— Pomme ! Orange ! Euh… Kiwi ! Banane ! Cerise ! hurlait ma mère dans le salon.

Elle a marqué une courte pause, puis elle a enchaîné, tout aussi fort :

— Comment ça, des tomates ? Ben voyons donc, pfft ! Tu savais-tu ça, toi, Lisa, que les tomates étaient des fruits ?

J'ai réfléchi un instant. Il me semblait bien que je l'avais déjà appris quelque part ; mais pour le moment, ce dont je me rendais compte, c'est que je n'en avais même pas pour garnir mes hamburgers.

Stéphane est arrivé quand les boulettes de viande étaient prêtes pour la cuisson. J'y avais incorporé des épices et de la sauce soya. Lorsque j'ai voulu savoir pourquoi il n'était pas revenu à la maison directement après l'école, il m'a dit qu'il était allé jouer au parc avec ses amis. Ma mère mettait la table. Voyant qu'elle disposait quatre couverts, je lui ai dit de n'en mettre que trois car Paul m'avait appelée plus tôt pour m'informer qu'il serait retenu au garage toute la soirée.

— Il va pas vouloir manger quand il va rentrer?

J'ai dit à ma mère de laisser tomber. J'ai mis les boulettes à frire; une épaisse fumée s'est formée et, comme notre ventilateur était brisé depuis un mois, elle s'est propagée dans les quatre pièces de l'appartement. Stéphane courait autour de la table. Il s'est mis à crier:

— Y'a des poux dans ma classe, c'est la maîtresse qui l'a dit. Y faut que tu me tchèques le fond de la tête à soir. A l'avait donné une feuille pour les parents, mais je l'ai perdue. Pis si j'ai des poux, j'ai pas d'école demain, c'est elle qui l'a dit, O.K. là?

Je lui ai dit qu'on aurait le temps de voir à ça plus tard, que pour l'instant il fallait qu'il aille se laver les mains car le souper était prêt. Stéphane a couru tout le long du corridor jusqu'aux toilettes en donnant des coups de poing dans les murs et en hurlant: «J'ai des poux! J'ai des poux!» Ma mère s'était assise à table.

— Des poux! Des poux! Tu te souviens que tu en as eu, toi aussi, quand tu étais jeune?

J'ai déposé l'assiette avec les boulettes de viande et le pain au centre de la table. Oui, je me souvenais de ce jour où elle m'avait rasé la tête sous prétexte que le traitement capillaire contre ces parasites coûtait trop cher. Ma mère m'a regardée; peut-être a-t-elle senti que ce souvenir me traversait l'esprit parce qu'elle a dit:

— C'est ton père, tu sais, qui n'avait pas voulu m'envoyer l'argent du chantier où il travaillait… J'ai tellement pleuré quand il a fallu que je tonde tes beaux cheveux.

Je n'ai rien dit. Ils n'étaient pas si beaux que cela, mes cheveux, avant qu'elle les rase: bruns, raides, souvent sales et toujours gras. Mais leur longueur me permettait de dissimuler les nombreux cratères d'acné qui commençaient à poindre sur mon visage. J'avais douze ou treize ans à l'époque et je me souviens d'avoir crié à m'en déchirer la gorge pour que ma mère ne me rase pas la tête. Elle ne m'avait pas écoutée. Elle était soûle, comme chaque fois que mon père partait pour le chantier. Elle m'avait dit que j'aurais l'air originale sans cheveux, que j'en mettrais plein les yeux aux petits hippies de mon âge. Puis elle s'était affairée autour de moi avec les ciseaux et le rasoir en se déhanchant et en chantant du Elvis Presley. « *One for the money, two for the show* », et déjà, j'étais chauve et plus laide que jamais.

Stéphane est revenu de la salle de bains en courant. J'ai déposé quelques condiments sur la table. Après s'être lui-même confectionné son hamburger, il en a pris une énorme bouchée. Il a annoncé que mes hamburgers étaient moins bons que ceux de la mère de Nicolas chez qui il avait soupé dimanche. J'ai haussé les épaules et je lui ai dit de ne pas parler la bouche pleine. Je me suis levée pour lui servir du lait. Il a bu son verre d'un seul trait, il a roté, puis il est allé regarder la télévision dans le salon en emportant son assiette avec lui.

Quand on a eu fini de manger, ma mère a débarrassé la table puis elle a préparé l'eau pour la vaisselle. Je suis restée assise et j'ai fumé une cigarette en feuilletant une revue qu'elle avait apportée. Le papier était glacé et il y avait des photos de stars de téléromans. Je lui ai demandé pourquoi elle lisait cela. Elle m'a dit qu'elle avait trouvé la revue à la pizzeria près de chez elle et qu'elle l'avait conservée parce qu'elle contenait un coupon à remplir pour gagner un voyage pour deux à Cuba cet hiver. « Vas-tu venir avec moi, hein, si je gagne ? » m'a-t-elle demandé en cherchant des gants pour faire la vaisselle. Je lui ai indiqué qu'ils étaient en dessous de l'évier. J'ai regardé le coupon à la fin de la revue ; ma mère avait inscrit son nom, son adresse et son numéro de téléphone avec une écriture très soignée. Une seule case du coupon était vide : il fallait répondre à une question d'habileté mentale.

Stéphane gigotait sans cesse, alors je lui ai ordonné de rester tranquille. J'ai promené mes doigts dans ses cheveux, j'ai écarté quelques mèches et j'ai observé son cuir chevelu. J'ai répété ce geste quelques fois et je n'ai rien vu qui pouvait ressembler à des poux ou à des larves. Je lui ai dit que tout était beau. Il m'a demandé s'il pouvait quand même rester à la maison le lendemain. Je lui ai dit qu'il n'en était pas question, qu'il fallait que les enfants aillent à l'école s'ils voulaient devenir de bonnes grandes personnes. Il a hurlé que ce n'était pas vrai, que j'étais la mère la plus débile du monde. Je lui ai demandé s'il avait fait ses devoirs.

— Ta gueule ! J'écoute mon émission, a-t-il crié.

J'ai porté son assiette dans la cuisine en soupirant. Ensuite, j'ai voulu prendre un bain, mais il ne restait plus d'eau chaude ; ma mère en avait sans doute trop utilisé pour faire la vaisselle.

Ils étaient couchés tous les deux, ma mère et mon fils. Je fumais une cigarette dans la cuisine en feuilletant les offres d'emplois du journal de quartier lorsque j'ai entendu des pas. Ma mère s'était levée : elle n'était pas capable de dormir. Elle a déposé son sac à main sur la table de la cuisine et elle en a sorti un sachet de tisane.

— En veux-tu une? C'est de la camomille, paraît que ça aide à dormir.

J'ai décliné son offre. Elle a mis la bouilloire sur le feu puis elle est venue s'asseoir en face de moi. Elle a hoché la tête :

— J'étais comme toi, Lisa. J'ai passé un tas de soirées à attendre que ton père rentre à la maison… quand il était pas parti sur son chantier.

L'horloge marquait onze heures et Paul n'était toujours pas revenu.

— J'attends personne, ai-je dit à ma mère.

— Arrête de faire ta fière. Les femmes attendent toujours leur homme, c'est comme ça. C'était de même dans mon temps, pis ça changera pas de sitôt.

Elle s'est levée car la bouilloire sifflait, elle a préparé sa tisane, puis elle est revenue s'asseoir à table. Elle a ajouté :

— Penses-tu vraiment que ton Paulo est en train de serrer des *bolts* à onze heures le soir?

Elle a humecté ses lèvres comme si elle s'apprêtait à poursuivre sur sa lancée, mais je l'ai priée de ne plus parler de ça. Elle a semblé contrariée, puis elle a haussé les épaules en détournant les yeux. Elle a vu le journal posé devant moi :

— Tu cherches encore un emploi? C'est pas drôle, hein?

Je n'ai rien répondu. Ma mère m'a confié que, pour sa part, son arthrite la faisait de plus en plus souffrir et qu'elle avait de plus en plus peur du cancer. Quand elle a eu terminé sa tisane, elle m'a souhaité une bonne nuit, puis elle m'a dit :

— Bon courage, ma noire.

Elle a voulu m'embrasser sur le front, mais ses lèvres sèches se sont à peine entrouvertes. Je l'ai regardée traîner les pieds jusqu'au salon, le dos tout courbé. J'ai pensé qu'elle ne l'avait pas eue facile, la vie ; depuis que mon père était mort sur un chantier une dizaine d'années plus tôt, elle vivait toute seule en étirant la somme que lui avait versée la compagnie forestière. Pendant tout ce temps, la seule chose de bien qu'elle avait faite, c'était une cure de désintoxication pour vaincre son alcoolisme.

J'ai continué de lire les petites annonces, mais ma mère avait oublié son sac à main sur la table et ça me déconcentrait. Il était mal fermé et je pouvais apercevoir, bien enroulée, la revue que j'avais feuilletée plus tôt. Je me suis dit que je pourrais peut-être lui rendre service en répondant à la question d'habileté mentale qu'elle n'était pas parvenue à élucider. Un court moment, je l'ai imaginée, pendant les semaines qui suivraient, tout excitée à l'idée qu'on puisse tirer son coupon du lot, qu'on puisse l'appeler et qu'on lui annonce qu'elle avait gagné le voyage à Cuba ; la vie pouvait sembler tellement plus douce, ou en tout cas moins pénible, quand on avait quelque chose à espérer. J'ai sorti la revue de son sac et j'ai trouvé la page où il y avait le coupon. Je me suis rendu compte que le calcul était quand même difficile : il y avait des additions, des multiplications et des divisions entrecoupées de parenthèses. Comme je n'arrivais pas moi-même à y répondre, je me suis levée pour aller chercher la calculatrice de Stéphane.

J'ai ouvert la porte de sa chambre. Il faisait noir et je ne voulais pas le réveiller. J'ai marché sur la pointe des pieds jusqu'à son bureau. J'entendais sa respiration, lente et régulière. Son sac d'écolier était posé sur sa chaise. Je l'ai ouvert doucement et j'en ai tâté l'intérieur afin de trouver sa calculatrice. Dans le fond de son sac, il y avait un paquet de cigarettes. Mes yeux s'habituant de plus en plus à la pénombre, j'ai distingué, dissimulée à l'intérieur de son classeur, une revue érotique. Je me suis demandé s'il fallait que je lui confisque ces objets que je ne trouvais pas appropriés pour un garçon de huit ans, mais il ne tarderait pas à s'en rendre compte et il se révolterait encore davantage contre moi. Est-ce que ce n'était pas déjà assez difficile comme ça ? Enfin, j'ai trouvé la calculatrice coincée entre deux livres et j'ai refermé son sac. Avant de sortir de sa chambre, j'ai jeté un dernier coup d'œil vers son lit. Sa petite tête dépassait des couvertures, on aurait dit qu'il avait encore quatre ans. « Pourquoi ? » ai-je pensé.

Dans la cuisine, l'horloge marquait minuit. J'ai repris place sur ma chaise et j'ai entrepris de résoudre l'opération. La réponse était zéro. J'ai rempli le coupon du concours en me disant que c'était quand même ridicule de demander aux gens de se creuser ainsi les méninges pour arriver à un résultat aussi insignifiant.

C'est au moment où j'ai voulu replacer la revue dans le sac de ma mère que j'ai aperçu la coquerelle. Elle filait sur la fermeture éclair comme une acrobate sur un fil de fer. Elle est descendue le long de la couture du sac. Une fois sur la table, elle a couru dans tous les sens. Finalement, elle s'est immobilisée sur le coin d'un napperon. Le napperon était noir : la coquerelle s'imaginait peut-être que son corps brun se confondait avec lui, disparaissait en quelque sorte. Elle se trompait, car je la voyais très bien. D'abord, elle était énorme. Ses pattes, minces comme des cheveux, frémissaient tant qu'on aurait dit qu'elles étaient bercées par le vent. La bestiole était attirée par un minuscule morceau de viande hachée collé sur le napperon. Son dos reluisant semblait beaucoup plus massif que le reste de son corps. On aurait dit une grosse croûte formée de toutes les saletés et de toutes les pourritures dont elle se nourrissait. Je n'ai pas pu faire autrement que de me demander si nous aussi, les humains, on ne traînait pas une croûte semblable avec nous, une croûte où se stockaient toutes les misères et tous les échecs de notre vie. J'aurais souhaité savoir si cette croûte, à mesure qu'elle s'épaississait, ne finissait pas par avoir raison de nous, ou au contraire si on ne pouvait pas espérer qu'un beau jour quelque chose nous arriverait qui fasse en sorte qu'on se décroûte.

J'ai voulu assommer la coquerelle d'un coup de poing, mais je crois qu'elle a senti l'ombre de mon bras se dessiner au-dessus d'elle. Elle a couru jusqu'à l'extrémité de la table et s'est jetée dans le vide. Elle est tombée sur le dos et, tandis que je me précipitais pour lui marcher dessus, elle s'est vite remise sur ses pattes, si bien que j'ai à peine eu le temps de la voir disparaître en dessous du four.

La demoiselle d'honneur

« Vin blanc ou vin rouge ? »

Je n'ai pas hésité ; j'ai pris du blanc. Après tout, nous n'en étions qu'à l'apéritif. Le serveur a rempli mon verre, puis il a poursuivi son tour de table en posant la même question à tout le monde.

J'ai bu une gorgée et j'ai levé les yeux : tout en haut, au beau milieu du plafond, il y avait un immense lustre suspendu, mais il était difficile de dire avec quoi. Je ne voyais pas de chaîne. En fait, on aurait dit que le lustre tenait tout seul, comme par magie. Un soleil ? Qui sait ? Il m'a semblé tout aussi éblouissant et je suis certaine que, si je l'avais fixé quelques secondes de plus, j'aurais eu un étourdissement, ou bien peut-être aurais-je été aveuglée. Malheureusement, ce n'était pas le moment d'être malade, alors j'ai ramené mon regard au niveau de la salle.

Les convives étaient nombreux. Ils avaient maintenant tous pris place aux tables qui leur étaient respectivement désignées. Les tables étaient rondes, et les couleurs vives des vêtements créaient un effet kaléidoscopique. J'ai tenté de discerner quelques visages familiers, mais je n'avais pas mes lunettes. Sincèrement, cela ne m'a pas dérangée plus qu'il ne faut.

J'ai pris mon paquet de cigarettes dans mon sac à main, et c'est à ce moment qu'un bruit s'est sournoisement élevé dans la salle. Au début, ce n'était qu'un tout petit bruit. Peu à peu, il s'est intensifié, de telle sorte que bien vite il est devenu insupportable. J'ai regardé les gens tout autour : il m'a semblé que chacun et chacune participait à ce cirque qui consistait à faire résonner sa fourchette sur son verre. Certains se sont mis à crier « Un baiser ! Un baiser ! », d'autres, ou peut-être étaient-ce les mêmes, à taper du pied. Enfin, ma sœur s'est levée, suivie de Michael, et ils se sont embrassés. Les applaudissements ont duré plus longtemps que le baiser des nouveaux mariés, puis chacun a repris place sur sa chaise.

Ma sœur a elle aussi tenté de se rasseoir, mais cela n'a pas été aussi simple. C'est que sa robe était beaucoup trop large. Maman s'est levée pour l'aider et Mme Smith, la mère de Michael, lui a également offert ses services. Au bout de cinq minutes, tout est rentré dans l'ordre, c'est-à-dire que la robe est rentrée entre les deux accoudoirs de la chaise. Ma sœur n'avait pas l'air contente ; elle s'est penchée vers Michael et j'ai cru l'entendre lui dire qu'à la prochaine symphonie de fourchettes elle ne se lèverait pas. Je n'ai pas compris ce que lui a répondu Michael ; sans doute était-il d'accord. Puis il y a eu le gros M. Smith qui s'est écrié que, au prix auquel il avait loué la salle de réception de l'hôtel, il était scandaleux qu'il n'y ait pas de chaise assez large pour la robe à froufrous de la mariée. Peut-être disait-il cela à la blague, mais il me semble que personne n'a ri sauf lui, et encore, pas très longtemps.

Je me suis allumé une cigarette et Karl a fait de même. Il était assis à ma gauche, et à côté de lui, il y avait Katie, la femme du frère de Michael. « Pouvez-vous ne pas envoyer votre fumée par ici ? » a-t-elle dit. Karl l'a regardée, d'un air poli mais tout autant interrogatif : « Je suis enceinte de six mois », a déclaré Katie sur un ton sec. Karl s'est tourné vers moi avec sa moue dubitative, les sourcils froncés, le front plissé. Visiblement, il n'avait pas remarqué que Katie était enceinte ; en fait, je ne crois pas que je l'aurais moi-même soupçonné si ma sœur ne me l'avait pas annoncé chez le coiffeur le matin même. C'est qu'avec ou sans bébé dans le ventre, gestation ou non, Katie était grosse. Aussi savait-elle probablement qu'elle ne pouvait pas taxer mon petit ami d'irrespect envers les femmes enceintes puisque rien, de prime abord, ne laissait deviner sa grossesse, sauf peut-être qu'elle avait commandé un *virgin ceasar* quand le serveur lui avait demandé : « Vin blanc ou vin rouge ? » Mais cela, Karl pouvait très bien ne pas l'avoir entendu.

« Puce, relaxe-toi », lui a dit Guy, son mari, le frère de Michael. Puis, nous regardant, Karl et moi, il a fait remarquer que « des jeunes de notre âge », ça ne devrait pas fumer, ce que Katie a approuvé d'un signe de tête. Vraisemblablement nous considéraient-ils comme des adolescents irresponsables. Karl a souligné que nous n'étions pas si jeunes que cela, que nous avions dix-huit ans. Tandis que je me penchais afin d'écraser ma cigarette et de mettre ainsi fin à cette discussion stérile, j'ai vu le regard de M. Smith plonger dans mon décolleté. J'ai alors senti un frisson me traverser la colonne vertébrale, le même genre de frisson que lorsque, par mégarde, je bois de l'eau froide après un bol de soupe chaude et que je sens l'émail de mes dents se soulever. À son tour, Karl s'est penché pour éteindre sa cigarette. Ensuite, M. et Mme Smith ont raconté comment, deux ans auparavant, ils étaient parvenus à cesser de fumer en suivant un traitement bien spécial : « Ça m'a coûté au-dessus de mille dollars, mais ça en valait la peine », a dit M. Smith. J'ai pensé que M. Smith aimait bien profiter de toutes les occasions pour signaler à qui voulait l'entendre qu'il avait beaucoup d'argent. M. Smith était un homme d'affaires. Papa et maman ne s'entendaient d'ailleurs pas très bien avec le beau-père de ma sœur ; je crois qu'il s'agissait d'une question de goûts et de manières. Par exemple, l'année dernière, quand Michael avait demandé ma sœur en mariage, le premier détail auquel il avait fallu voir était le lieu où allait se tenir la réception. Mes parents auraient souhaité une petite fête intime et champêtre dans une auberge des Cantons de l'Est, avec un service de traiteur raffiné. M. Smith, qui ne l'entendait pas ainsi, avait dit à papa : « Mais non, on va faire ça dans un gros hôtel du centre-ville, avec tout' le kit. » Papa et maman n'ont pas dû insister car, une semaine plus tard, la salle de réception de l'hôtel était réservée.

Michael a fait le tour de la table afin de remplir le verre de chacun : « Les serveurs ne peuvent pas être partout en même temps. Un peu de vin, belle-sœur ? » J'ai accepté en le remerciant. Michael, je l'aime bien. C'est vraiment un chic type. Le seul hic, peut-être, c'était que je savais qu'il avait eu une aventure extraconjugale, enfin, extraconjugale avant le temps. Il y avait de cela environ trois mois, ma sœur était allée travailler sur un tournage dans les environs de Québec. De là-bas, elle m'avait téléphoné afin de me demander de passer chez elle nourrir ses chats, car elle croyait Michael à un congrès à l'extérieur de la ville. Le soir, je m'étais donc rendue à leur appartement. En entrant, j'avais entendu d'étranges gloussements en provenance de la chambre à coucher. Je m'étais approchée et, par l'entrebâillement de la porte, j'avais surpris Michael en flagrant délit d'adultère, enfin, d'adultère avant le temps. Il baisait une grande fille à la tignasse rousse. Étrangement, cette fille ressemblait à ma copine Lucie que je lui avais vaguement présentée la semaine précédente, un soir où il était venu souper à la maison avec ma sœur. Bien entendu, je n'ai pas pris le temps de m'assurer que c'était bien elle et j'ai quitté l'appartement sans nourrir les chats.

Michael a terminé sa tournée en remplissant le verre de ma sœur puis a repris place auprès d'elle. Ma sœur a bu une gorgée de vin et s'est plainte d'avoir faim. Plus près de moi, j'ai entendu Katie dire d'un ton impatient qu'elle aussi, elle avait faim, qu'elle était enceinte, que le bébé qu'elle avait dans le ventre n'était pas habitué à manger si tard, etc.

Karl m'a glissé à l'oreille qu'il allait faire un tour dans le hall de l'hôtel, question de fumer une cigarette. Je lui ai dit de ne pas trop traîner, car le souper serait bientôt servi. En fait, je n'avais aucune idée de l'heure à laquelle le souper allait être servi, mais peu importait. Je l'ai regardé s'éloigner : ses cheveux blonds parfaitement taillés au-dessus de sa nuque, son smoking noir qui lui seyait à merveille et dont le gilet battait au vent, sa démarche décontractée, sa façon de regarder les gens avec son sourire hautain tandis qu'il traversait la salle, tous ces petits détails m'ont saisie à cet instant même. « Qu'est-ce que je l'aime », ai-je songé, et cette pensée m'a fait le même effet que lorsque je plonge mon corps dans un bain dont l'eau est trop chaude.

J'ai regardé ma sœur. Son air était toujours le même : ses yeux se noyaient dans le verre de vin posé devant elle ; elle semblait lasse. La voyant ainsi, je me suis souvenue du soir où elle m'avait téléphoné : « Marianne, j'ai trouvé mon prince charmant », m'avait-elle annoncé tout enjouée. « Un jeune médecin », avait-elle spécifié. Michael était l'ami du copain d'une de ses copines et ils s'étaient rencontrés à un souper d'anniversaire. Six mois plus tard, ils emménageaient ensemble. Six autres mois plus tard, ma sœur nous annonçait à maman, à papa et à moi qu'elle se mariait. Au début, nous avons cru tous trois qu'elle se moquait de nous. C'est parce que ma sœur est la reine des coups de tête et des revirements spontanés. À dix-neuf ans, après avoir travaillé tous les week-ends durant l'année scolaire pour se payer un voyage de deux mois en Europe, ma sœur avait pris l'avion à destination de Paris avec sa copine Kim. Deux semaines plus tard, elle était de retour. De l'Europe, elle n'avait rien vu d'autre que la tour Eiffel : un midi, nous avait-elle expliqué, elle avait aperçu une superbe paire de bottes en cuir d'alligator dans la vitrine d'un couturier. Elle n'avait pas pu résister ; elle avait encaissé tous ses chèques de voyages et les avait achetées. Ensuite, elle avait fait avancer la date de retour de son billet d'avion. « Et Kim ? » lui avions-nous demandé, perplexes. « Kim, oh… elle est pas mal fâchée… elle devra faire le tour de l'Europe toute seule », nous avait-elle répondu d'une voix indifférente tandis qu'elle se pavanait devant nous chaussée de ses nouvelles bottes : « Elles sont belles, n'est-ce pas ? » Papa et maman avaient hoché la tête, mécontents. Moi, j'avais dit à ma sœur qu'il y avait des bottes identiques aux siennes dans mes magazines de mode. Elle m'avait souri et m'avait promis de me les prêter. Je l'avais serrée dans mes bras et je lui avais dit qu'elle était la sœur la plus chouette du monde. Je crois que j'étais bien contente qu'elle soit revenue plus tôt que prévu de son voyage ; à l'époque, ma sœur vivait encore avec nous et un été complet sans elle m'aurait paru très long. Pour ce qui est du reste, ma sœur était d'une parfaite instabilité dans ses relations amoureuses. L'année avant qu'elle rencontre Michael avait marqué ses débuts en tant que scriptgirl et elle avait travaillé sur plusieurs films. À chaque plateau de tournage correspondait une nouvelle conquête : tantôt un éclairagiste, tantôt un réalisateur, tantôt un stagiaire. Elle s'amusait bien. Et aujourd'hui, alors qu'elle n'avait que vingt-trois ans, elle se mariait. J'avais peine à le croire.

« Où est Karl ? » m'a demandé maman assise à ma droite. Je lui ai dit qu'il n'allait pas tarder, qu'il était parti aux toilettes. J'ai menti à maman parce que je sais qu'elle n'aime pas beaucoup Karl, et que quitter la table pour aller aux toilettes est moins impoli que pour aller fumer une cigarette. Il y a des fois où maman me dit que je suis bizarre depuis que je sors avec Karl ; par exemple, quand elle me surprend en train de pleurer, elle prétend que ma relation avec lui est malsaine. Peut-être a-t-elle lu quelques pages de mon journal intime ; pourtant, même dans mon petit cahier rouge, je n'écris pas tout. C'est qu'il m'arrive souvent de ne pas trop comprendre ce que je vis. Ce n'est pas grave.

Maman m'a demandé si je me sentais bien. Je lui ai dit de ne pas s'inquiéter, que tout était parfait, sauf peut-être que j'avais froid. Maman a regardé mes bras et elle a vu que j'avais la chair de poule : « Pauvre chérie. » Moi, ça ne me dérangeait pas. Karl est revenu à ce moment-là. Il s'est approché de papa assis à la droite de maman et il lui a demandé s'ils allaient toujours jouer au golf ensemble le lendemain, après être allés reconduire ma sœur et Michael à l'aéroport. « C'est certain qu'on y va, lui a répondu papa soudainement enjoué, je dois bien prendre ma revanche. » Souriant, Karl est venu se rasseoir près de moi. Quand je vois papa et Karl qui s'entendent si bien, ça me picote de la tête aux pieds, ça se met à me chatouiller partout, un peu comme lorsque je gratte trop longtemps mes piqûres de maringouins.

« Tu joues au golf, Karl ? » a demandé Guy en se servant du vin. Karl lui a répondu qu'en effet il pratiquait ce sport. Guy, qui pensait peut-être avoir affaire à un débutant, s'est enquis : « Depuis combien de temps ? » Karl lui a dit que cela faisait environ dix ans, car son père était le propriétaire du prestigieux club de golf de l'ouest de l'île de Montréal. « Vraiment ? » a répondu Guy. Puis il s'est tu avant de se tourner vers Katie qui suçait la paille de son *virgin ceasar* : « Ça va, ma puce ? » lui a-t-il demandé en fixant les doigts potelés de sa femme qui tortillaient l'extrémité de la paille qui n'était pas enfoncée dans sa bouche. « J'ai faim », lui a répondu Katie. Guy lui a dit de cesser de mâchouiller sa paille, prétextant qu'elle finirait bien par s'étouffer avec. « Étouffe-toi toi-même », lui a-t-elle répondu. Mais elle a quand même déposé la paille sur la table.

Je me suis tournée pour observer ma sœur de nouveau ; Michael lui jouait dans les cheveux et elle lui a demandé de cesser : « Tu ne vois pas que j'ai les cheveux pleins d'épingles », lui a-t-elle dit sur le ton du reproche. Michael s'est excusé et je crois bien qu'il m'a fait pitié. Après tout, ma sœur n'avait pas raison d'être méchante avec lui puisqu'elle ne soupçonnait pas qu'elle avait été cocue avant même d'être mariée. Deux semaines avant ma découverte, ma sœur avait acheté sa robe de mariée et je l'avais accompagnée pour l'essayage ; ce jour-là, elle m'avait paru magnifique, encore plus que ce soir. Gravés sur son visage, il me semblait avoir lu les signes d'un incomparable bonheur. Or, j'imaginais difficilement ma sœur mettre une petite annonce dans le journal afin de se débarrasser de sa robe inutilisée. Parce qu'il est évident que si je lui avais tout avoué, fière comme elle est, ma sœur aurait servi à Michael un esclandre à tout casser. Bref, c'était la rupture certaine, car ma sœur n'est pas de ce type de fille qui accepte le rôle de victime ou apprend peu à peu à faire avec. Aussi ai-je gardé le silence parce que j'aurais bouleversé la fragile stabilité qui s'était introduite dans sa vie. En plus, toutes les invitations étaient déjà envoyées, les limousines réservées, la *sweet table* commandée, le curé avisé, les billets d'avion pour le voyage de noces achetés, sans parler du photographe officiel qu'on avait engagé. Si j'avais tout révélé à ma sœur, je me serais sentie responsable d'une terrible débandade. Et puis elle aurait été si triste.

Je me suis levée, légèrement chancelante. J'ai ajusté le décolleté de ma robe en attendant que tous les convives assis à la table d'honneur se taisent. Une fois le silence obtenu, j'ai levé mon verre en direction des nouveaux mariés : « Que votre mariage soit heureux. » J'étais sincère et il me semblait que ma voix tremblait d'émotion. Tout le monde a levé son verre en même temps. « À vous deux », a dit Mme Smith ; « À l'amour », a déclaré maman ; « Santé », ont dit simultanément M. Smith et papa. Nos verres ont résonné les uns contre les autres ; seul celui de Katie était vide. Avant de me rasseoir, j'ai jeté un coup d'œil vers ma sœur, qui me souriait. Dans la salle, les gens applaudissaient et je ne comprenais pas pourquoi, car ils étaient si loin qu'ils n'avaient même pas dû entendre les toasts que nous avions portés.

J'ai senti la main de Karl sur ma cuisse, à travers le léger tissu de lin de ma robe : « Ça va ? » m'a-t-il discrètement demandé. Je lui ai souri en faisant signe que oui. Pendant la cérémonie à l'église le matin même, j'étais persuadée que Karl, au moment où le curé s'était tourné vers la foule assemblée afin de s'assurer que personne ne s'opposait aux vœux qui allaient être prononcés, avait craint que je me lève et que je déclare tout ce que je savais. Bien entendu, jamais je n'ai pensé à faire une chose pareille, mais Karl avait été le seul confident de mon secret. Après avoir été témoin de la fameuse scène, je m'étais rendue chez lui afin de lui révéler ce que j'avais vu. Évidemment, j'étais dans un état d'agitation avancée. Après m'avoir calmée quelques instants, Karl m'avait dit : « Ce n'est rien, tu sais, pour nous les garçons, le cul et l'amour, ce sont deux choses bien différentes. » Cette phrase était lourde d'accents macho, mais Karl l'avait dite sur un ton très sincère. J'aurais facilement pu m'attendrir devant une telle révélation, mais j'ai tenté de ne pas me laisser aller, ne serait-ce que parce qu'elle sortait de la bouche de mon petit ami. J'ai essayé d'expliquer à Karl qu'il ne comprenait pas, que toute sa vie ma sœur avait été un être instable, et qu'enfin

Michael avait apparemment changé tout cela puisqu'elle disait à qui voulait bien l'entendre qu'il était l'homme de sa vie, son prince charmant. « Je comprends, m'avait répondu Karl, mais Michael n'aime pas moins ta sœur parce qu'il s'est envoyé en l'air avec une autre. Le prince charmant qui va *frencher* la belle au bois dormant pour la réveiller, qui sait s'il ne s'arrête pas en chemin afin de se payer une petite bergère ? » J'étais surprise ; je ne savais pas que Karl avait déjà lu des contes de fées. J'aurais aimé que nous en discutions, mais je savais que ce n'était pas le moment. Je me serais pourtant rangée à l'avis de Karl pour convenir que cette histoire de la belle au bois dormant laissait beaucoup de questions en suspens. Par exemple, de mon côté, j'étais sceptique quant au baiser qui avait ranimé la jolie princesse ; le prince charmant avait forcément dû lui faire autre chose, à ce corps gourd, pour le tirer de son sommeil centenaire. Toujours est-il que ce soir-là, ne serait-ce que pour la forme, j'avais jugé opportun de réprimander Karl pour ses propos et nous nous étions disputés jusqu'à très tard dans la nuit. Du reste, qu'aurais-je pu faire de plus ? Depuis le début de notre histoire l'année dernière, je savais bien que j'étais moi-même cocue. Karl voyait toujours son ex-copine, serveuse au restaurant du club de golf de son père. Sans compter les autres histoires dont j'avais eu vent, parfois, dans les corridors du cégep.

« Velouté de chanterelles à la crème fraîche », a annoncé le serveur en déposant une magnifique soupière en argent au centre de la table. Katie lui a dit qu'elle était enceinte et qu'elle ne pouvait pas manger n'importe quoi ; le serveur lui a expliqué d'un air dédaigneux que les chanterelles n'étaient qu'une variété de champignons, puis il nous a servis tour à tour. Une fois le garçon parti, Katie a dit qu'elle ne saisissait pas pourquoi, si les chanterelles n'étaient que des champignons, on ne les appelait pas ainsi tout simplement. M. Smith lui a expliqué : « Chanterelles, ça fait plus *fancy.* »

Au demeurant, le souper s'est déroulé normalement ; tout était délicieux : homard à la sauce béarnaise, sorbet aux endives et aux pommes à l'armagnac, truite arc-en-ciel servie sur un coulis de poivron jaune accompagnée de cœurs d'artichauts en papillote, le tout arrosé de très bons vins. Une fois la table débarrassée, mais tandis que nos verres étaient toujours aussi pleins, M. Smith, qui s'était pourtant vanté d'avoir cessé de fumer, a offert des cigares cubains à tout le monde. Seuls les hommes ont accepté. À ma gauche, j'ai entendu Katie soupirer, puis elle a sorti un éventail multicolore de son sac. « Je vais prendre les grands moyens », m'a-t-elle dit en ouvrant son petit instrument. Je lui ai souri. Guy lui a caressé la nuque puis, d'une manière tout à fait naturelle, il l'a tendrement embrassée. J'ai détourné le regard. Au même moment, dans la salle, un tintamarre de fourchettes s'est de nouveau élevé. Ma sœur s'est mise à hocher désespérément la tête pour signaler à Michael que cette fois-ci elle ne se lèverait pas, mais Michael l'a gentiment convaincue et l'a prise par le bras. Ils se sont embrassés et les gens dans la salle ont applaudi.

Une fois debout, ma sœur n'a pas voulu se rasseoir. Elle s'est avancée vers moi et s'est penchée au-dessus de mon épaule : « Viens-tu m'aider à pisser ? » m'a-t-elle demandé à voix basse. Je me suis levée et il m'a semblé qu'elle s'embourbait dans sa large robe blanche comme dans des sables mouvants. Nous avions discuté le matin même de ce service que j'allais bien devoir lui rendre, pendant que maman et moi l'aidions à enfiler sa robe. En voyant les innombrables couches de tissus dont on la recouvrait, j'avais fait remarquer à ma sœur qu'elle ferait mieux de ne pas boire trop d'eau durant la journée. Maman m'avait alors rappelé qu'étant la demoiselle d'honneur, selon la tradition, c'était moi qui allais devoir aider ma sœur quand elle me le ferait savoir, autrement dit, j'étais tenue de me rendre à la salle de bains avec elle, afin qu'il n'arrive rien de malheureux à cette belle robe de deux mille dollars.

J'ai pris ma sœur par la main et nous nous sommes dirigées vers le hall d'entrée de l'hôtel en faisant un détour par le fond de la salle afin d'éviter de passer entre les tables. Tandis que nous marchions, un terrible fracas a retenti. Nous avons toutes deux sursauté; la première chose à laquelle j'ai songé, c'est que l'immense lustre s'était effondré. Aussi ai-je levé les yeux au plafond, mais il était toujours là, immuable. Ma sœur m'a dit que c'était quelqu'un qui avait tiré par mégarde sur la nappe d'une table et que tout ce qui s'y trouvait était tombé par terre; elle m'a désigné la table en question, mais elle était très loin de nous et je n'avais pas mes lunettes. « Qui est assis à cette table? » lui ai-je demandé. « De pauvres imbéciles », m'a-t-elle répondu. Nous sommes sorties de la grande salle.

Une fois dans le hall, j'ai voulu me diriger vers les toilettes, mais ma sœur m'a tirée dans l'autre direction. Je lui ai demandé où elle allait et elle m'a répondu que rester assise à la table d'honneur lui était insupportable, qu'elle se sentait terriblement angoissée. « Il y a le bar de l'hôtel au bout du couloir à droite ; allons y prendre un verre », m'a-t-elle proposé tout de go. Impuissante, je l'ai suivie ; après tout, je n'allais quand même pas la laisser y aller seule. J'ai quand même fait remarquer à ma sœur qu'elle aurait l'air drôlement folle avec sa robe de mariée au beau milieu d'un bar. « Je m'en fous », a-t-elle rétorqué comme nous pénétrions dans ledit endroit.

Le long du mur de droite, il y avait quelques tables aux reflets métalliques avec des banquettes tout autour. Au milieu, il y avait de plus petites tables rondes et des tabourets disposés alentour. Le mur de gauche, quant à lui, était longé par le comptoir, sur lequel des bouteilles d'alcool étaient disposées en pyramide devant un miroir, ce qui créait l'illusion qu'il y en avait encore davantage. Tout au bout de la salle, il y avait une petite piste de danse surplombée d'une boule métallique multicolore qui effectuait de lentes révolutions. Au fond, à gauche, on pouvait distinguer un sombre petit corridor qui menait probablement aux toilettes. Une étrange lumière bleue, un peu brumeuse, éclairait le bar. Une vieille chanson de Leonard Cohen jouait. Ma sœur et moi avons pris place sur une banquette et je me suis allumé une cigarette. Elle a enlevé ses souliers et les a glissés sous la table, se plaignant d'avoir mal aux pieds. Moi, j'ai constaté avec surprise que l'endroit était presque désert : sauf le barman et trois hommes assis au bar qui lui parlaient, il n'y avait personne. Par contre, on nous observait déjà, et il était évident que les quatre hommes, en nous voyant entrer, avaient émis quelques commentaires à notre sujet : d'abord, ils nous avaient fixées d'un air perplexe ; ensuite, ils s'étaient consultés en rigolant discrètement.

« Mesdames, qu'est-ce qu'on peut vous servir ? » nous a crié le barman derrière son bar. Ma sœur lui a répondu qu'on allait prendre chacune un double amaretto sur glace. Tandis que le barman préparait nos verres, les trois autres hommes nous observaient du coin de l'œil. Ils étaient dans la trentaine, ou peut-être un peu plus jeunes. Ce que je pouvais discerner de leur allure ne laissait rien deviner de particulier. Deux d'entre eux portaient des bermudas et avaient les cheveux bruns et courts, tandis que le troisième portait des jeans et avait les cheveux plutôt longs et châtains. Ma sœur les a également observés pendant un instant avant de se tourner vers moi et de m'annoncer que le matin même, quand elle s'était réveillée, elle avait eu très peur en songeant qu'idéalement, à partir d'aujourd'hui et pour toute sa vie, elle allait devoir se contenter de faire l'amour à un seul homme et dès lors oublier tous les autres. Je l'ai réconfortée en lui disant que cette contrainte n'était que théorique et qu'elle pourrait très bien la transgresser dans quelques années, lorsque l'envie, assurément, se manifesterait. Le barman nous a apporté nos verres. Nous avons voulu le payer mais il nous a dit que les trois hommes au bar s'en étaient déjà chargés. Quand il est reparti, ma sœur m'a fait remarquer qu'il avait de belles fesses. Je lui ai donné raison sur ce fait, et nous avons trinqué, sans oublier de faire un petit signe de la main aux trois hommes afin de les remercier. Ils nous ont souri.

La voix de Leonard Cohen s'est éteinte dans les haut-parleurs. Le disque devait être fini. « *Rico, play some cheesy music* », a demandé au barman l'homme qui portait des jeans. Puis il s'est tourné vers nous et n'a pas cessé de regarder ma sœur. Je n'ai eu aucune peine à imaginer toute la gamme de fantasmes qu'une jeune femme portant une robe de mariée un samedi soir vers dix heures dans le bar d'un grand hôtel pouvait éveiller dans l'esprit d'un homme, aussi peu pervers fût-il. Aussi ai-je songé que nous ferions peut-être mieux de retourner à la salle de réception, mais nous avions à peine pris deux gorgées de nos verres. Je me suis allumé une autre cigarette et les haut-parleurs se sont mis à diffuser une chanson de je ne sais qui au rythme de saxophone très langoureux. Les trois hommes au bar se sont dirigés vers nous ; je crois que ma sœur leur souriait. Celui qui portait des jeans nous a demandé en anglais si cela nous dérangeait qu'ils s'assoient à notre table ; ma sœur les a assurés que non. Après s'être présentés, ils ont longuement dévisagé ma sœur : « *Don't tell us you've already got into a fight with your husband* », a dit l'un d'eux, pour blaguer sans doute. Ma sœur s'est esclaffée et n'a pas répondu. Les trois hommes nous ont dit qu'ils étaient originaires de San Francisco et qu'ils étaient arrivés la veille à Montréal afin de travailler tout l'été sur une superproduction américaine d'un réalisateur très connu mais dont je n'avais jamais entendu parler. Ma sœur a fait semblant d'être impressionnée ; elle ne leur a pas dit qu'elle en avait déjà vu d'autres, ni qu'elle était elle-même script-girl, ni que papa était producteur et maman, actrice. Peut-être parce qu'il avait fait un pari tordu avec les deux autres, celui qui portait des jeans a invité ma sœur à danser, et ma sœur a accepté. Je ne sais pas pourquoi, mais cela ne m'a même pas étonnée. Après tout, la chanson était très bonne. Ils se sont levés et se sont dirigés vers la piste de danse.

Les deux autres ont alors entrepris de me poser toutes sortes de questions : « *What's the best club to hang out in*

Montreal?», «Where could we eat good sushis?», «Would you come along with us?», etc. Je répondais de façon très évasive; ils ont dû s'en rendre compte car, à un moment donné, ils se sont mis à parler entre eux et ne se sont plus occupés de moi. Je ne voulais pas être impolie, mais je n'étais pas en état de converser avec des étrangers. Ça m'amusait davantage de regarder ma sœur dans les bras d'un inconnu sur la piste de danse. Je me suis demandé ce à quoi elle pouvait bien penser, et je l'ai imaginée, quelques années plus tôt, se torturer à force de contempler la vitrine d'un grand couturier parisien; elle n'avait pas su résister. De mes deux mains, j'ai serré très fort mon verre d'amaretto jusqu'à ce que je ne sente plus mes doigts tant le verre était glacé. «Would you like another drink?» m'a demandé un des deux hommes. Je lui ai dit non. Ma sœur et l'inconnu ont cessé de danser et ils se sont dirigés vers nous. Bien vite, avant qu'elle regagne la table, je me suis levée et j'ai dit à ma sœur que la récréation était terminée. J'ai vu dans son visage qu'elle aurait préféré rester, mais elle s'est soumise à ma décision. Nous avons donc dit bonsoir aux trois hommes ainsi qu'au barman puis nous sommes sorties. «Rico, bring us a bottle of Jack Daniel's», avons-nous entendu crier tandis que nous traversions la porte. J'ai alors pensé que l'un des trois hommes honorait peut-être le pari qu'il avait perdu.

Nous n'avions pas fait vingt pas dans le corridor que ma sœur s'est arrêtée tout net en criant: «Merde, mes souliers!» Papa eût-il lu un scénario avec un tel rebondissement, il l'aurait rejeté en disant: «Ça fait trop arrangé avec le gars des vues.» Mais, dans la vraie vie, ne peut-on pas se permettre de provoquer de petits écarts pernicieux

111

et excitants? « Va, Cendrillon, va chercher tes petites pan-
toufles de vair oubliées au bal », ai-je ordonné à ma sœur.
À deux mains, elle a soulevé les volants de sa robe et elle a
couru en direction du bar. « Je t'attends ici », lui ai-je crié.
Je me suis rendue aux toilettes pour retoucher mon
maquillage. Quand je suis revenue dans le hall, ma sœur
n'était toujours pas là. J'ai fumé une cigarette. Sans doute
aurais-je eu le temps d'en fumer plusieurs. J'aurais pu
retourner au bar pour aller la chercher, mais j'avais trouvé,
par hasard, un confortable sofa de velours plus loin dans le
corridor de l'hôtel et je m'y étais installée. Tout près, il y
avait un ascenseur. Pour passer le temps, je me suis amusée
à deviner si les couples qui y montaient et en descendaient
étaient des couples officiels ou des couples officieux. En
temps normal, les yeux ne trompent pas : les coupables
s'efforcent de ne pas regarder autour d'eux, ou bien, pani-
qués, ils ne font que cela. Enfin, ma sœur est revenue
en riant. Je lui ai demandé si tout allait bien ; elle m'a dit
de ne surtout pas m'inquiéter. Je lui ai fait remarquer que
ce n'était pas dans mes habitudes.

Nous sommes entrées dans la grande salle de l'hôtel.
Combien de temps avions-nous été parties ? Je ne le sais
pas. Toujours est-il que rien ne semblait avoir bougé. Les
hommes savouraient encore leurs cigares et Katie n'avait
pas cessé d'agiter son petit éventail sous son nez. Quelques
personnes dans la salle nous ont vues et les fourchettes se
sont mises à résonner sur les verres. Ma sœur s'est approchée de Michael et ils se sont embrassés au son des applaudissements. Michael a caressé les cheveux de ma sœur et
quelques épingles en sont tombées. Elle a ri en disant que
ce n'était rien. Tandis que maman et Mme Smith aidaient

ma sœur à se rasseoir convenablement, Michael lui a demandé où nous étions passées. Elle a fait semblant de ne pas entendre la question. J'ai pris les choses en mains. J'ai dit à Michael que ma sœur avait remarqué qu'une maille de son bas avait filé. Nous étions donc montées à la chambre réservée pour la nuit de noces afin d'aller en chercher une autre paire car, prévoyante, elle en avait une dans son sac là-haut. À cause des jarretelles qu'on avait dû retirer et remettre ensuite, tout cela avait pris du temps. Quant à Karl, il ne m'a rien demandé. En fait, je ne sais même pas s'il avait remarqué que j'étais de retour. Je lui ai caressé la nuque, mais il n'a pas réagi, sûrement parce qu'il était occupé à parler de golf avec papa, Guy et M. Smith.

J'ai regardé le lustre au plafond : j'aurais juré qu'on avait tamisé la lumière, ou peut-être n'était-ce là qu'une illusion. J'ai eu de drôles de chaleurs.

« Champagne ? » m'a demandé le serveur qui se promenait avec un plateau rempli de flûtes. « Champagne », lui ai-je répondu.

Une patate chaude
comme mon cœur

Lorsque je suis sorti de la douche, Anita n'était plus dans mon lit. Le corps enroulé dans ma serviette, j'ai couru du salon jusque dans la cuisine :

— Anita ! Anita ! Où te caches-tu ? ai-je crié. Ohé ! Anita !

J'ai vérifié si elle ne s'était pas blottie dans le fond de ma garde-robe : elle n'y était pas. Je me suis précipité à la fenêtre : il neigeait, mais je pouvais distinguer des traces de pas qui semblaient fraîches dans l'escalier. J'ai pensé qu'elle était allée nous acheter du jus d'orange et des croissants, mais une heure plus tard elle n'était toujours pas revenue. J'ai cherché la petite note qu'elle avait dû me laisser : il n'y en avait pas. Lui était-il arrivé quelque chose ? J'ai fait les cent pas dans mon appartement tout l'après-midi. J'ai tenté de l'appeler chez elle, mais il n'y avait pas de réponse. J'ai essayé de trouver ce que j'avais bien pu faire de mal pour qu'elle me fuie de la sorte ; il ne me semblait pas avoir commis de bévue.

Avant de partir travailler, j'ai fait mon lit. Parmi le fouillis des draps, j'ai trouvé le soutien-gorge de dentelle noire d'Anita. Je l'ai collé contre mon nez; il était imprégné de son parfum. Je l'ai frotté sur mon cou pour que les cellules mortes qui s'y accrochaient encore pénètrent mon épiderme. J'avais un peu d'Anita sur moi et ça me faisait du bien. Je l'ai rangé dans la poche de mon manteau en me disant que je le lui remettrais le soir même. La petite coquine! Elle l'avait oublié là pour que je pense à elle.

Il faisait tempête et le restaurant était presque vide. De l'autre côté de la fenêtre, j'ai observé Anita: derrière son bar, elle essuyait des verres. Elle avait les cheveux détachés et une robe noire qui lui moulait la poitrine. Elle était belle. Comme on avait fait l'amour toute la nuit, elle était sans doute seulement allée se reposer chez elle cet après-midi et avait dû débrancher son téléphone pour ne pas être dérangée. J'ai donné de petits coups dans la vitre pour la saluer de la main, mais elle ne m'a pas entendu. La musique devait être trop forte à l'intérieur du restaurant. Pourtant, les serveurs qui bavardaient discrètement près de l'ordinateur central où ils poinçonnent leurs commandes m'ont entendu: ils m'ont fait de petits tatas. Ils sont sympathiques. J'ai trouvé qu'ils avaient l'air si bien, au chaud, vêtus de simples chemises blanches. Max et moi, de notre côté, nous grelottions. Comme il est portier et comme je suis le valet affecté au service du stationnement, le patron nous défend de flâner dans la salle à manger, quelle que soit la température extérieure; tout au plus peut-on attendre les clients dans le petit vestibule. Il dit qu'il faut avoir l'air de vrais professionnels, même si on est au bas de l'échelle et même si on se les gèle.

Une Volvo s'est rangée contre le trottoir et je me suis avancé. J'ai immédiatement reconnu l'homme qui sortait de la voiture : j'avais déjà vu son visage dans les journaux et à la télévision, c'était le président d'une grande banque. Ça m'a un peu intimidé. Ici, c'est le restaurant le plus branché en ville, tout le gratin vient y manger, des politiciens jusqu'aux vedettes rock, sans oublier les mafiosi. Même si je commence à être habitué à voir des personnalités, je me sens toujours un peu privilégié tout en étant gêné d'être à leur service. J'ai ouvert la portière du passager pour que la femme sorte de la voiture. Elle portait un manteau de fourrure ; comme toutes les fois que je vois une femme avec un manteau semblable, j'ai pensé à ma mère qui meurt de froid chaque hiver parce qu'elle n'a jamais eu les moyens de s'en acheter un. Depuis que je travaille ici, je pense souvent à ma mère. J'allais prendre place sur le siège du conducteur lorsque l'homme m'a lancé : « Faites bien attention, jeune homme, cette Volvo vaut plus cher que votre restaurant. » Il a pris le bras de sa femme qui lui souriait à pleines dents et ils se sont gaiement avancés vers Max, qui leur a ouvert la porte. Ils avaient l'air tout heureux, insouciants de la tempête et du froid. Je me suis dit que moi aussi, plus tard, j'emmènerais Anita souper dans de grands restaurants. Je les ai vus remercier Max d'un léger coup de menton et j'ai appuyé sur l'accélérateur pour me rendre au stationnement.

Le mois précédent, lorsqu'il m'avait embauché, mon patron m'avait expliqué ce qui était arrivé à l'autre valet qui était là avant moi les jeudis, vendredis et samedis. Un beau soir, il avait surpris tout le monde en s'enfuyant au volant de la bagnole d'un client, une Mercedes, si je me souviens bien. Ça faisait seulement quelques semaines qu'il travaillait au restaurant, mais il paraît que c'était un garçon très chouette et très serviable. Bien entendu, on l'avait retrouvé. Le client n'avait pas porté plainte contre lui, si bien qu'il ne s'en était pas si mal tiré : plus de boulot, peut-être, mais sans casier judiciaire. Moi, quand je vais garer une voiture, je pense toujours à lui à la fraction de seconde qui précède le tournant vers le stationnement. Qu'est-ce qui avait bien pu lui passer par la tête pour qu'il continue tout droit ?

Je suis revenu vers Max et on a repris notre poste dans le vestibule. J'ai essuyé la neige sur mon visage. À l'intérieur, j'ai vu Anita parler avec un nouveau serveur. Qu'est-ce qu'elle pouvait bien lui dire ? Elle lui souriait coquettement en se déhanchant et en jouant dans ses cheveux. J'ai pris de grandes respirations par le nez afin de me calmer. Sans doute le mettait-elle simplement au courant des vins qu'ils avaient en réserve. Le président de la banque et sa femme dégustaient leur kir royal en riant. Je me suis gardé de trop les observer parce que ça me fichait un peu les bleus de voir cet homme-là à quelques mètres de moi. Sa banque offrait des bourses aux étudiants de l'université. J'avais toujours rêvé d'en obtenir une. Désormais, je devais oublier mes grandes ambitions : les deux semaines précédentes, j'avais séché tous mes cours pour passer le plus de temps possible avec Anita. Mes notes en souffriraient certainement. Et moi qui avais accepté ce boulot pour payer mes études : c'est incroyable comme la vie nous réserve parfois de drôles de surprises ! L'amour en est sans aucun doute la plus belle. J'ai regardé Anita de nouveau ; elle était toujours en grande conversation avec le serveur. Ne devait-il pas s'occuper de ses clients, celui-là ? Il en menait pas mal large pour un petit nouveau.

Il était onze heures lorsque le patron a quitté le restaurant.

— Veux-tu un café ? m'a demandé Max.

Un café, c'est le luxe qu'on se permet une fois que le patron est hors de vue.

— Je vais aller les chercher, me suis-je empressé de lui répondre.

Max a souri d'une drôle de manière : « Si tu veux », a-t-il dit. J'ai traversé la salle à manger en m'imaginant ce que je dirais à Anita pendant qu'elle préparerait nos cafés. Je pourrais lui remettre son soutien-gorge devant le nouveau serveur : il verrait bien qu'Anita est à moi et il irait jouer dans le trafic. Mais c'était plutôt brusque comme approche et Anita m'en voudrait certainement. C'est une fille délicate.

Je suis arrivé au bar. Anita parlait encore avec le nouveau serveur.

— Qu'est-ce que tu veux ? Deux cafés, c'est ça ?

— Oui, s'il te plaît.

J'ai voulu l'inviter à venir chez moi après le travail, comme d'habitude, mais elle m'avait déjà tourné le dos. Elle a saisi deux tasses de porcelaine blanche sur la tablette et elle a marché jusqu'à la cafetière. J'ai trouvé cela étrange : c'était la première fois qu'elle me servait du café filtre. Normalement, elle prenait la peine de me faire un espresso tout crémeux. La machine était sûrement brisée.

— Ça doit être dur de travailler dehors par le froid qu'il fait, m'a dit le nouveau serveur.

Je lui ai souri. Je ne voulais pas qu'Anita pense que j'étais un gars jaloux.

— En effet, c'est pas chaud, lui ai-je répondu en lui donnant une tape dans le dos.

Anita a déposé les deux tasses sur le bar et elle a immédiatement repris sa conversation avec le serveur. J'ai entendu tout ce qu'ils se disaient pendant que je mettais le lait et le sucre dans les cafés. Ils parlaient d'un film qui venait de prendre l'affiche. Iraient-ils le voir ensemble ? C'était impossible. Je les ai interrompus, question de leur signaler que j'étais toujours là :

— Anita, n'oublie pas que j'ai quelque chose à te donner, ai-je dit en lui adressant un clin d'œil.

Dans son regard, j'ai vu qu'elle devinait ce que c'était. Elle a eu l'air embarrassée.

— Tu ne vois pas que je suis occupée ?

Oui, c'est vrai, qu'est-ce que je pouvais être impoli quand je le voulais. Je me suis excusé et suis retourné dans le vestibule. J'ai tendu à Max son café et j'ai tranquillement bu le mien. Plissant les yeux, j'ai longuement observé Anita à travers la vitre. Pourquoi lui en vouloir de discuter avec le serveur ? Elle était seulement soucieuse de le mettre à l'aise dans son nouvel environnement de travail.

— Je te parie qu'elle va lui faire le coup à lui aussi, m'a dit Max qui voyait que je ne la lâchais pas des yeux.

J'ai avalé ma salive bruyamment.

— Quel coup ?

Il a secoué la tête.

— Le coup, tu vois ce que je veux dire, non ? Tous les employés finissent par tomber dans les filets de cette fille. Moi, si je n'étais pas marié, j'avoue que je me serais sans doute laissé prendre. À toi, elle te l'a fait ou pas encore ? Il me semble vous avoir déjà vus quitter le travail ensemble, non ?

Max s'est tu et j'ai baissé les yeux. Je n'ai pas eu le temps de penser à quoi que ce soit car quelqu'un a fait claquer ses doigts à deux centimètres de mes oreilles.

— Eh ! Le jeune ! Vous êtes dans la lune ? m'a lancé une voix d'homme. Nous serons prêts à partir dans cinq minutes. Allez chercher la voiture et mettez le chauffage à fond.

C'était le président de la banque. Son visage était tout près du mien. Il avait un double menton. Il n'arrêtait pas de faire claquer ses doigts.

— J'y vais tout de suite, monsieur.

Je suis sorti. Le vent m'a soufflé dans le visage comme un vrai déchaîné. J'aurais aimé qu'il me soulève et m'emporte avec lui. Anita ! Oh ! Anita ! Et ces soirées qu'on avait passées collés-collés dans le creux de mon divan à regarder des films, et ces chocolats chauds que je lui avais préparés avec de petites guimauves fondues sur le dessus, et ces heures interminables durant lesquelles je lui avais massé le corps avec de l'huile spéciale qui coûtait affreusement cher, tout ça n'avait donc eu aucune signification pour elle ? Tous ces matins où elle m'avait imploré de rester auprès d'elle dans mon lit pour que je lui fasse l'amour tendrement, elle savait pourtant très bien ce que je sacrifiais pour ses beaux yeux, mes études, mes bouquins, mon avenir. L'avait-elle fait exprès ou quoi ? Et moi qui avais cru que nous deux, c'était du solide. Un poisson, voilà donc tout ce que j'étais ?

La Volvo était recouverte d'une épaisse couche de neige. J'ai ouvert la portière, j'ai mis le moteur en marche, j'ai allumé le chauffage et je suis ressorti pour déblayer la voiture. J'ai saisi le petit balai repliable que j'ai toujours dans mon manteau. En cette saison froide, c'est l'instrument indispensable pour faire mon métier. J'ai fait le tour de la voiture, la neige était lourde et collante, j'étais essoufflé quand j'ai eu terminé. C'est en revenant près de la portière du conducteur que je l'ai vu. Il était tombé par terre, il avait dû glisser quand j'avais pris le balai dans ma poche. Le soutien-gorge d'Anita était si noir sur la neige, on aurait dit un oiseau de malheur, un corbeau qui me bouffait des morceaux de cœur et qui avait des bretelles à la place des ailes. J'ai enlevé mes gants pour le ramasser et je me suis assis dans la Volvo. Le soutien-gorge était froid, si froid qu'il me brûlait les paumes. J'aurais dû le lui balancer au visage quand j'étais allé chercher les cafés : le nouveau serveur aurait vu dans quoi il s'embarquait. Je bouillais, j'en voulais au monde entier, non seulement à Anita, mais à Max aussi de ne pas m'avoir mis en garde plus tôt. Était-il de connivence avec elle, ou quoi ? Tout cela n'était qu'une terrible conspiration, et je comprenais maintenant pourquoi les serveurs ricanaient quand ils me voyaient aborder Anita si gentiment. Tout le monde était au courant. L'envie m'a pris de faire payer les autres pour ma souffrance. J'ai tordu le soutien-gorge d'Anita dans mes mains. Il était hors de question que je remette ce vulgaire morceau de tissu dans la poche de mon manteau. Aussi ai-je pensé que le meilleur moyen de m'en débarrasser, c'était d'en faire don à quelqu'un qui n'en voulait pas. Ce serait comme le jeu de la patate chaude : chacun son tour de pâtir dans la vie. Bon Dieu ! Cette patate-là, elle était chaude comme mon cœur, et ce n'était pas rien, car mon cœur, il était en feu.

D'un geste si décidé qu'on l'aurait dit prémédité, j'ai caché le soutien-gorge sous le pare-soleil du passager. J'ai pensé que la prochaine fois que la femme du président de la banque retoucherait son rouge à lèvres ou quelque chose comme ça, le morceau de dentelle lui tomberait sur les genoux. De toute manière, c'était injuste : le bonheur semblait leur sortir par les oreilles, à ces vieux riches.

J'ai conduit la Volvo hors du stationnement et je l'ai immobilisée devant le restaurant. Le président et sa femme m'attendaient sur le trottoir. Je suis descendu de la voiture tandis qu'ils s'approchaient de moi. L'homme m'a glissé cinq dollars dans la main et j'ai fait le tour pour aller ouvrir la portière à sa femme. Ils m'ont remercié ; je leur ai froidement dit bonsoir. J'ai regardé la voiture s'éloigner tranquillement. « Sapristi ! » ai-je soufflé tout haut en secouant la tête. J'ai commencé à marcher vers chez moi, je ne remettrais plus jamais les pieds dans ce restaurant, les derniers clients de la soirée n'auraient qu'à aller chercher leurs voitures eux-mêmes. C'était probablement mieux ainsi : j'étais si furieux, qui sait ce que j'aurais pu faire dans toutes ces autres bagnoles ? Mon patron ne serait pas content quand il apprendrait que j'étais parti comme ça, mais tant pis pour lui. Le jour où il m'avait embauché, il m'avait prévenu que les relations intimes entre les membres du personnel étaient interdites. Il devait savoir de quoi il parlait. Si seulement il avait été un peu plus précis.

Site historique

C'est au mois de mai dernier que Mathieu a eu l'idée de partir faire le tour de l'Europe. La première fois qu'il m'en a parlé, il ne semblait pas vouloir m'inclure dans ses plans. Par la suite, j'ai versé de petites larmes chaque fois que les mots *voyage, Europe* et *été* sortaient de sa bouche, si bien qu'il a fini par m'offrir de l'accompagner. J'ai demandé à mes parents ce qu'ils en pensaient. Ils se sont consultés brièvement et ils m'ont signé un chèque de cinq mille dollars en me disant qu'après tout les voyages étaient censés former la jeunesse. Mathieu et moi, nous avons fait faire nos passeports, acheté nos billets d'avion, préparé nos bagages — deux gros sacs à dos —, puis nous sommes partis pour Lisbonne. Avec tout ça, nous étions à la mi-juin.

Je sais que beaucoup de jeunes de mon âge rêvent de visiter l'Europe. Durant toute l'année, après les cours, ils se précipitent vers leurs jobs minables de vendeurs de souliers ou de patates frites pour pouvoir, l'été venu, s'envoler vers le vieux continent. Moi, ce n'était pas pareil. Bien sûr, j'avais hâte de revoir avec mes yeux de jeune adulte ces pays que j'avais visités lorsque j'étais enfant, mais pour être honnête je trouvais que le gros avantage de toute cette aventure, c'était que M. Laflèche, le père de Mathieu, un homme d'affaires qui voyage lui-même beaucoup, avait réussi à nous magouiller quelque chose grâce à sa compagnie pour qu'on ait des tarifs très bas avec la chaîne d'hôtels Hilton. Ça rendait notre voyage tout à fait convenable : grand lit *queen*, salle de bains spacieuse, télévision, films sur commande, téléphone, *room service* à toute heure du jour ou de la nuit, minibar bien garni et j'en passe. C'était le petit confort, exactement comme chez soi, mais à l'autre bout du monde. J'étais ravie. Parfois, Mathieu, le nez caché derrière une carte ou un guide touristique, me communiquait son désir de visiter quelque coin perdu ; je vérifiais alors dans l'annuaire international des Hilton que M. Laflèche nous avait gentiment prêté, puis neuf fois sur dix j'annonçais à Mathieu : « C'est impossible qu'on se rende là-bas, il n'y a pas de Hilton à moins de dix milles à la ronde. »

Tout a fonctionné à merveille jusqu'à Amsterdam, jusqu'à ce qu'un soir, vers le milieu de notre voyage, Mathieu m'annonce d'une voix plus ferme que d'habitude qu'il en avait assez des Hilton à l'odeur aseptisée, que désormais il voulait dormir dans de petits endroits uniques, authentiques. Nous revenions d'une promenade au Vondel Park lorsqu'il m'a dit, en déverrouillant la porte de notre chambre :

— Elsa, j'ai envie de voir de vraies choses, de vieilles choses, je suis tanné de ces chambres qui se ressemblent toutes, qu'on soit à Barcelone ou à Paris.

Ensuite, il est allé chercher son guide des auberges de

jeunesse qu'il avait dans le fond de son sac, mais qui, à ma grande joie, ne nous avait pas encore servi. Je me suis allumé une cigarette en attendant son verdict. Je lui ai caressé le dos du bout des doigts en espérant qu'il changerait d'idée, je lui ai même proposé une virée dans le Red Light question de le distraire, mais ça n'a servi à rien. Mathieu a refermé son guide d'un geste décidé et il m'a annoncé :

— Demain, on s'en va à Domburg. C'est dans le sud du pays, à deux heures d'ici. L'auberge porte la mention *site historique,* ça doit être un bel endroit, rustique et tout. On reviendra après-demain puisqu'on a déjà réservé nos billets de train pour Munich.

Je me suis forcée à sourire, car pour tout dire je n'étais nullement emballée. Mathieu est allé aux toilettes et j'ai vérifié en catimini dans l'annuaire des Hilton s'il n'y en avait pas un à Domburg : cette ville ne figurait même pas sur la carte. J'étais perdue.

Le lendemain matin, j'ai fait tout ce qui m'était possible pour retenir Mathieu au lit. Ça n'a fonctionné qu'à moitié. Le réveil a sonné.

— Un petit *snooze* ? lui ai-je proposé.

Il n'a rien voulu entendre. Il s'est levé rapidement, il a entassé des vêtements dans son sac à dos, puis il a mis dans le mien ce dont nous n'aurions pas besoin pour notre petite escapade. À la Centraal Station, nous avons laissé mon sac à la consigne puis nous sommes montés dans le train de dix heures à destination de Middelburg. Durant tout le trajet, Mathieu s'est extasié à la vue des grosses vaches qui broutaient des champs interminablement verts et d'autres trucs du genre. Toutes les deux minutes, il lâchait un « wow ! » ou un « regarde-moi ça ! ». Au début, je répondais « oui, oui, c'est merveilleux ». Ensuite, j'ai mis les écouteurs de mon baladeur sur mes oreilles.

Une fois sortis de la gare de Middelburg, nous avons traversé la rue et nous avons attendu l'autobus pour Domburg. Mathieu regardait la vie bouger autour de nous :

— Quelle belle petite ville ! a-t-il dit.

Personnellement, je trouvais que Middelburg était un méchant bled. La gare était minuscule, les rues étroites et les gens qui se promenaient à vélo avaient tous l'air dans la lune, ou bien ils s'adressaient des « dreling ! dreling ! » avec leurs sonnettes quand ils croisaient une de leurs connaissances. En plus, le bus tardait, il n'y avait aucun taxi à l'horizon et on était en train de rôtir sous le soleil de plomb qu'il faisait. Bref, j'étais loin de me réjouir. Une demi-heure plus tard, le bus a fini par se pointer et, après un trajet d'une quinzaine de minutes, il nous a laissés sur le bord d'une route déserte. De là, il a fallu marcher plus d'un kilomètre dans un petit chemin rocailleux qui semblait ne mener nulle part. Si je ne me suis pas lamentée, c'est uniquement parce que Mathieu portait notre sac et que je voyais des gouttes de sueur perler sur son front. « Arrête de siffler, ça m'énerve ! » C'est la seule remarque que je me suis permise.

Enfin, l'auberge nous est apparue. Il faut dire que, dissimulée comme elle l'était derrière ces gros arbres feuillus, on a failli la manquer. C'était une espèce de petit château surplombé de deux tours. La cour intérieure était encadrée de deux ailes. Celle de gauche avait été rénovée en cafétéria et celle de droite, en bar. Ici et là, on avait disposé des chaises et des tables, et quelques jeunes y avaient pris place.

Nous nous sommes dirigés vers la réception au rez-de-chaussée du pavillon principal. Derrière le comptoir, il y avait une fille, blonde comme toutes les Hollandaises, qui lisait un roman. Mathieu lui a dit en anglais que nous désirions une chambre pour la nuit. La fille a déposé son livre puis elle nous a souri d'une drôle de manière. Elle nous a demandé si nous en étions à notre première visite à l'auberge de Domburg et nous lui avons répondu oui.

— *I see*, a-t-elle lâché en saisissant deux clefs différentes sur des crochets derrière elle.

Toujours avec le même sourire, elle nous a expliqué qu'un des règlements de l'auberge était que les garçons et les filles n'étaient pas autorisés à dormir dans la même chambre. Les bras ont failli me tomber.

— *If it's a joke, it's not funny*, lui ai-je lancé, impassible.

Elle m'a dit qu'elle était très sérieuse, que nous devrions non seulement passer la nuit dans des chambres différentes, mais également partager ces chambres avec d'autres vacanciers du même sexe. J'ai brandi ma main droite à deux centimètres de son visage; lui désignant la bague que Mathieu m'avait achetée deux semaines auparavant à Cannes, j'ai hurlé :

— *Can't you see we are married? It's our honeymoon!*

Derrière son comptoir, la fille n'a pas bronché. Je me suis tournée vers Mathieu et je lui ai dit que tout cela était impossible, qu'il était hors de question que je dorme dans un sale dortoir peuplé d'inconnues :

— C'est une idée pour qu'on attrape des morpions, ai-je crié. T'en veux, toi, des morpions? Pas moi. C'est dégueulasse.

J'ai pris une grande respiration et j'ai tenté de me maîtriser. Plus calmement, je lui ai dit qu'il y avait sûrement moyen de dénicher un hôtel convenable dans ce foutu bled. Mathieu a pris l'une des clefs que la fille avait posées sur le comptoir, puis il m'a dit d'un ton détaché :

— Eh bien! Vas-y si tu veux, moi, je reste ici. C'est pas souvent dans ma vie que j'aurai l'occasion de dormir dans un site historique.

Il est sorti du château en me disant qu'il allait faire un tour. Je bouillais. La fille me fixait du regard; notre petite engueulade avait eu l'air de l'amuser. À bout de nerfs, j'ai saisi la clef qui restait sur le comptoir et je lui ai demandé de m'indiquer où était située ma chambre. Elle m'a expliqué qu'elle était au deuxième étage, quatrième porte à gauche, juste avant les toilettes. Le lien s'est fait automatiquement dans ma tête : j'ai déduit que si la porte des toilettes était *à côté* de celle de ma chambre, c'était qu'il n'y avait ni toilettes ni douche *dans* ma chambre. J'ai froncé les sourcils en me figurant bien facilement que s'il n'y avait qu'un mur qui séparait mon lit des toilettes, alors j'allais nécessairement sentir les émanations de pisse et de merde de tous les gens de la baraque qui passaient fatalement par là au moins une fois par jour.

De plus en plus exaspérée, je me suis penchée pour ramasser le sac à dos que Mathieu avait laissé à mes pieds. Lorsque je me suis relevée, la fille était replongée dans la lecture de son roman, mais elle avait un sourire narquois sur les lèvres. Sans même lever le nez vers moi, elle m'a dit :

— *Oh! Just in case you didn't know, people usually wear their wedding ring on the left hand.*

— La ferme, espèce de connasse!

Je savais bien qu'elle n'avait rien compris, mais je me suis sentie convenablement vengée.

Les six grabats que contenait le dortoir étaient superposés deux par deux. Cinq d'entre eux étaient déjà occupés car des vêtements traînaient ici et là sur les couvertures en désordre. « C'est pas croyable ! » ai-je pensé. J'ai regardé par la fenêtre. En bas, c'était le jardin du château, il y avait un étang dont l'eau brune semblait toute fangeuse. Mathieu était assis sur un banc et il fumait une cigarette en jetant des regards émerveillés tout autour de lui, comme il l'avait fait un peu plus tôt dans le train. J'étais trop orgueilleuse pour aller le retrouver ; après tout, c'est lui qui était parti. De toute manière, il ne tarderait pas à venir me chercher : après une petite brouille comme celle-là, Mathieu agissait souvent comme s'il ne s'était rien passé.

Je me suis étendue sur le lit qui était libre, celui du haut près de la fenêtre. Avant de m'y installer, j'ai vigoureusement fouetté le matelas de la main pour m'assurer que rien d'étrange n'y logeait et je l'ai recouvert de ma serviette de plage. Une vraie blague : les draps n'étaient même pas fournis. Ils avaient avantage à en prêter à la réception, et des propres, sinon je ferais un scandale, exactement comme ma mère quand nous étions en Guadeloupe cet hiver et que la femme de chambre de l'hôtel avait oublié de changer nos serviettes et de nous remettre de petites bouteilles de shampooing neuves. Perchée à mon poste d'observation, j'ai vu Mathieu quitter son banc ; je savais qu'il viendrait me retrouver.

Quand il s'est rendu compte que ses « toc toc » discrets n'obtenaient pas de réponse, Mathieu est entré dans le dortoir. J'ai fait semblant de dormir. Il a gravi une ou deux marches de l'échelle du lit, puis il a enfoui son visage dans mes cheveux.

— Salut, princesse ! a-t-il susurré.

Je n'ai pas bougé. Il a collé sa bouche sur mon oreille et il a respiré fort. J'en ai eu de petits frissons.

— Tous vos sujets sont en promenade dans le jardin, ô princesse, et le roi votre mari est allé chasser le sanglier. Puis-je m'emparer de vous ?

Il a glissé une main sous ma jupe et j'ai gloussé quelque chose comme « ô noble guerrier », car je savais bien que Mathieu était fort sur ces histoires de chevaliers du Moyen Âge. Comme le jeu prenait une tournure de plus en plus intéressante, j'ai voulu que Mathieu vienne me rejoindre, mais dans mon élan j'ai tiré trop fort sur son chandail et il s'est cogné la tête au plafond qui n'était qu'à environ cinquante centimètres du lit. L'air légèrement assommé, il a sauté de l'échelle en sacrant. Je suis descendue du lit à mon tour :

— Dans les vrais châteaux, comme dans *Sissi,* lui ai-je fait remarquer, les plafonds sont beaucoup plus hauts que ça. On s'est fait avoir. Ton site historique, c'est de la frime.

Mathieu, qui sortait maintenant ses effets personnels du sac à dos, m'a dit que j'étais bête et qu'on l'avait sans doute seulement rénové. N'empêche, il se frottait vigoureusement la tête d'une main.

— On se rejoint dans le hall ? m'a-t-il proposé. Je vais aller porter tout ça dans ma chambre.

— D'accord, lui ai-je répondu. Moi, je vais aller aux toilettes.

Il est sorti en emportant ses affaires.

Décidément, l'odeur des lieux était infecte : c'était comme si on avait tenté de masquer les relents d'un égout en y versant une bouteille d'eau de Javel. Je me lavais les mains lorsqu'une grande fille aux courts cheveux bruns et dégoulinants a émergé de derrière un rideau de douche, le corps enroulé dans une serviette :

— *Hello !* m'a-t-elle lancé distraitement.

Je l'ai dévisagée de la tête aux pieds, et c'est sur ces derniers que mon regard s'est arrêté. L'outil dont ils étaient revêtus allait m'être indispensable à moi aussi si je ne voulais pas attraper des verrues plantaires, un pied d'athlète ou un autre machin désagréable qui devait hanter le sol poisseux des douches. Près de moi, la fille se brossait les dents. J'ai fait l'effort de lui parler :

— *Excuse me. Do you think they sell* gougounes *like yours at the village ?*

Elle n'a pas eu l'air de comprendre ma question.

— *Plastic shoes,* flic et flac, gougounes, ai-je insisté en désignant ses pieds.

Elle a regardé par terre puis elle a haussé les épaules en émettant un son étrange car elle avait la bouche pleine de dentifrice. Je me suis séché les mains et, avant de sortir, j'ai balayé l'air avec mon bras et je lui ai dit :

— *Never mind.*

Lorsque je suis descendue dans le hall d'entrée, j'ai surpris Mathieu en train de s'entretenir avec la fille de la réception. Il voulait savoir à quelle époque le château avait été construit, à qui il avait appartenu, ce qu'il avait de particulier, bref, pourquoi c'était un site historique. La fille lui ayant dit qu'elle ne le savait pas, Mathieu lui a demandé s'il n'y avait pas une brochure où il aurait pu trouver toutes ces informations. La fille lui a répondu qu'elle vendait de belles cartes postales avec différentes vues aériennes du château. Elle nous les a montrées.

— *Beautiful view of the Domburg castle. Nice souvenir.*

Nous avons payé nos chambres et nous sommes sortis.

Une fois dehors, tandis que nous longions la cour intérieure, Mathieu s'est retourné vers le château :

— L'architecture est de style roman.

Je me suis retournée à mon tour et je lui ai dit qu'il avait tort, que c'était plutôt du gothique parce que les voûtes étaient en pointe. Lui, il trouvait qu'elles étaient plutôt rondes. Après trois minutes de discussion, nous avons abandonné le sujet en nous disant que, de toute manière, nous ne le saurions sans doute jamais puisque le personnel de l'auberge ne semblait pas être qualifié pour promouvoir le cachet historique des lieux.

— Elle est cruche en titi, hein, la fille de la réception ? ai-je fait remarquer à Mathieu.

— Mets-en.

Nous avons déambulé dans les rues de Domburg. Les maisons étaient coquettes et les façades des magasins aussi. J'ai remarqué une vitrine où étaient exposés des tubes de crème solaire et j'en ai déduit que c'était une pharmacie. J'ai fait signe à Mathieu de me suivre à l'intérieur.

— Qu'est-ce que tu cherches ? m'a-t-il demandé. On n'a besoin de rien.

— Je veux des gougounes pour prendre ma douche. Je ne sais pas si tu le sais, mais les douches sont communautaires à l'auberge.

Il a haussé les sourcils et hoché la tête comme s'il me

trouvait complètement ridicule. Je lui ai signalé qu'il était dans son intérêt de s'en procurer lui aussi une paire s'il ne voulait pas être obligé de se rendre chez le podiatre dès notre retour. Il s'est mis à rire très fort comme si mon conseil était des plus absurdes.

— Tant pis. Je t'aurai averti.

Cependant, j'ai pensé que si Mathieu attrapait des verrues, il me les transmettrait très certainement. Il y avait un panier rempli de gougounes et je n'ai pas hésité un moment à en prendre deux paires. Quand je suis arrivée à la caisse, Mathieu qui m'y attendait m'a dit :

— Non mais tu ne comprends rien ou quoi ? Je t'ai dit que je n'en voulais pas !

Il a pris une des deux paires et il est allé la remettre dans le panier au fond du magasin. J'ai payé et, quand nous sommes sortis, je l'ai prévenu :

— En tout cas, à présent, ne me demande plus de te masser les pieds parce que la réponse sera non. Je ne toucherai plus jamais à tes pieds.

Il a soupiré :

— Ben, c'est ça !

Non loin de la pharmacie, il y avait une colline. Nous l'avons gravie, puis la mer du Nord nous est apparue. La vue n'était pas laide. Sur la plage, il y avait beaucoup de vacanciers étendus sur leur serviette, mais peu d'entre eux s'aventuraient dans l'eau.

— La mer du Nord doit être froide, m'a fait remarquer Mathieu.

Tout enthousiaste, je lui ai rappelé que dans moins de quinze jours, nous visiterions l'Italie, ensuite la Grèce, et que dans ces pays la mer serait assurément chaude.

— Comme de la pisse, a ajouté Mathieu.

— T'es dégueulasse.

Après avoir marché sur la colline et être descendus tremper nos pieds dans l'eau qui, en effet, était glacée, nous avions le ventre creux. Nous avons donc repris le chemin du village à la recherche d'un restaurant, nous nous sommes assis à la première terrasse que nous avons croisée puis nous avons demandé deux Heineken. Le serveur nous les a apportées en même temps que deux menus en anglais. Il est revenu cinq minutes plus tard. J'ai commandé le saumon à la sauce hollandaise sans sauce hollandaise, parce que c'est toujours trop gras. Mathieu a pris le steak frites. Comme le serveur allait faire demi-tour, j'ai dû claquer des doigts pour le retenir. Je lui ai demandé de m'apporter une autre fourchette parce que celle que j'avais devant moi était mal lavée, il y avait des résidus jaunes entre ses dents. Le serveur s'est exécuté, mais il était évident que ma demande l'avait agacé. J'ai regardé Mathieu et j'ai dit :

— Mais quoi ? Il est là pour ça, non ?

Mathieu a haussé les sourcils comme il l'avait fait plus tôt à la pharmacie. Je me suis impatientée, lui demandant pourquoi il réagissait de la sorte pour la seconde fois aujourd'hui. Il a pris une gorgée de bière et ne m'a pas répondu.

— Pourquoi, hein ? Pourquoi ?

Il a déposé sa bière sur la table et il s'est reculé sur sa chaise.

— Pourquoi ? a-t-il dit. Tu veux savoir pourquoi ? Elsa, si tu te voyais, c'est débile comme tu peux être chiante. T'es tellement snobinette, t'es précieuse, t'es dédaigneuse, il n'y a jamais rien qui fait ton affaire. Maintenant c'est la fourchette, mais sinon ce serait autre chose. C'est comme pour l'auberge de jeunesse. On tombe sur un vieux château au cachet unique, mais t'arrêtes pas de te plaindre depuis qu'on est arrivés. T'hallucines des morpions partout et t'obsèdes sur une ostie de paire de gougounes. T'es nulle à mourir quand tu t'y mets. On est en Europe et tu n'as aucune curiosité, aucune envie de découvrir quoi que ce soit. Tu penses seulement à ton confort de princesse, et c'est tellement petit, cette manière que tu as de voir les choses.

Mathieu a avalé une gorgée de bière et s'est allumé une cigarette. J'ai senti des larmes me brûler les yeux :

— Si c'est comme ça, dis-le donc que tu regrettes de m'avoir emmenée avec toi en Europe.

Il a haussé les épaules comme si ça lui était égal et je me suis mise à pleurer :

— Je peux prendre l'avion et retourner à Montréal si tu le souhaites.

— Arrête de brailler ! Tout le monde nous regarde !

— Je m'en fiche du monde, ai-je rétorqué sur une note plus haute.

— Calme-toi, t'es ridicule. Tu sais bien que ça ne me dérange pas que tu sois ici. Seulement, je trouve que tu pourrais faire un effort pour t'intéresser à autre chose qu'à ta petite personne, tu sais que ça me ferait plaisir. Moi, je voulais partir à l'aventure en faisant ce voyage. Toi, tu te soucies juste des hôtels où on dort parce que tu ne veux surtout pas poser ton cul sur n'importe quel lit. Ça me tape radicalement sur les nerfs.

141

Le serveur a apporté nos assiettes et j'ai séché mes larmes avec la serviette de table. Nous avons mangé en silence. Mon saumon était plutôt sec et j'ai regretté de ne pas avoir pris la sauce qui allait avec. Un peu plus tard, Mathieu m'a demandé :

— Veux-tu goûter à mes frites ? Elles sont encore meilleures que celles qu'on a mangées à Bruxelles.

J'ai fait comme si je ne l'avais pas entendu.

Sur le chemin du retour, Mathieu a tenté de me prendre la main, mais je me suis gratté la tête, mine de rien.

— Je m'excuse d'avoir été si dur avec toi, Elsa. T'es capricieuse, mais je t'aime bien comme ça.

— Va chier, lui ai-je répondu en regardant le ciel.

Nous sommes entrés dans la cour de l'auberge et il m'a demandé si je voulais aller boire un verre.

— Vraiment pas.

Nous sommes entrés dans le château et avons monté l'escalier. Au premier étage, là où était située sa chambre, Mathieu m'a souhaité une bonne nuit, puis il a essayé de m'embrasser. J'ai reculé :

— T'es fou ou quoi ! ai-je hurlé. Dégage, t'es juste un beau chien sale.

Il m'a fusillée du regard.

— Ça ne te plaît pas, petite conne, de te faire dire tes quatre vérités en face ?

Je l'ai fusillé du regard à mon tour ; j'ai senti le sang me monter au visage. J'ai plongé une main dans le sac en plastique blanc qu'on m'avait remis plus tôt à la pharmacie et je lui ai assené une grosse claque avec une de mes gougounes ; ça a fait un « shlack ! » tout sec.

Mathieu est resté figé sur place et il s'est frotté la joue d'une main. J'ai rangé ma gougoune dans mon sac.

— Elsa Monette, tu vas me la payer, celle-là.

Je me suis esquivée, j'ai gravi les marches quatre à quatre jusqu'au deuxième étage. Mathieu a hurlé :

— T'es la fille la plus conne de la terre ! M'entends-tu ? Je retourne à Montréal demain matin ! T'as gâché mon voyage, j'aurais jamais dû t'emmener !

Il a claqué la porte de sa chambre.

J'insérais la clef dans la serrure du dortoir lorsque j'ai pensé à ces foutus draps dont mon lit n'était pas pourvu. Et moi qui aurais tant souhaité me coucher et oublier cette journée complètement ratée ; je crois que c'était la pire de tout le voyage. J'ai soupiré, j'ai fait demi-tour et je suis redescendue. Au premier étage, j'ai jeté un coup d'œil vers le couloir, mais Mathieu n'était pas ressorti de sa chambre.

Au rez-de-chaussée, il n'y avait plus personne derrière le comptoir. Un écriteau annonçait en quatre langues qu'il fallait s'adresser au bar après neuf heures. J'ai regardé ma montre : il était dix heures trente.

— Merde ! Merde ! Merde ! ai-je lâché en donnant un coup de pied au comptoir.

Je me suis retournée vers les escaliers. Je me suis dit que Mathieu descendrait d'une minute à l'autre, en quête de draps, lui aussi. J'ai fait les cent pas, et je me suis imaginé au moins vingt scènes de réconciliation différentes : « Elsa, je t'aime, pardonne-moi, je suis con », « Elsa, j'ai bien réfléchi, j'aimerais qu'on se fiance sur une gondole à Venise », « Elsa, tu as bien fait, je la méritais, cette gougoune en pleine figure. Allez ! Vas-y, frappe-moi encore, c'est tout ce que je vaux », « Elsa, suis-moi, allons faire l'amour sur la plage comme à Biarritz »…

Après avoir grillé deux cigarettes en espérant le voir descendre, j'ai décidé de me rendre au bar et d'y guetter son arrivée : il y aboutirait forcément.

En compagnie de quelques clients, le barman regardait un match de football à la télévision. Je me suis assise et il m'a demandé ce que je voulais.

— *Some sheets for my bed and one Grand Marnier on the rocks.*

— Un Grand Marnier pour mademoiselle, m'a-t-il répondu avec un fort accent.

Il avait l'air tout content d'avoir deviné que je parlais français, peut-être à cause de la manière dont j'avais prononcé « Grand Marnier », et encore plus heureux de me montrer qu'il savait s'adresser à moi dans cette langue. Il m'a apporté ce que je souhaitais. À côté de mon verre, il a déposé deux draps emballés dans une enveloppe en plastique transparent aux armoiries des auberges de jeunesse. Je lui ai demandé s'ils étaient bien propres et il m'a dit qu'évidemment ils étaient propres puisqu'ils étaient neufs. J'ai compris que je devais acheter les draps ; ça m'a rassurée parce que je me suis dit qu'au moins personne d'autre ne les avait utilisés. J'ai payé et il est retourné au bout du bar regarder le match avec les autres. J'ai rangé les draps dans le sac de la pharmacie où il y avait déjà mes gougounes.

Les minutes passaient et toujours pas de Mathieu. Les dernières lueurs du jour s'étaient dissipées et il faisait sombre dehors. Je tournais mon verre entre mes mains ; je regardais la glace fondre et se mélanger à l'alcool. Comment Mathieu avait-il pu se permettre d'être aussi méchant avec moi au restaurant ? Pourquoi aurait-il fallu que je gobe mes quatre vérités, comme il le disait, et pourquoi aurait-il fallu que j'accepte de me faire traiter de snob et de tous ces autres noms sans broncher, sans réagir ? J'avais bien le droit, il me semble, d'être sensible et de lui en vouloir. Pour la claque de gougoune, j'étais désolée, mais il l'avait bien cherchée. D'accord, j'étais la première à admettre que l'esprit d'aventure n'était pas une glande qui s'était particulièrement développée chez moi, mais Mathieu pouvait bien parler : il avait fait les scouts, lui. Moi, mes parents n'avaient jamais voulu m'inscrire aux jeannettes ; j'imagine qu'ils avaient simplement eu du mal à voir comment le camping en forêt et de stupides chansons à répondre auraient pu enrichir de quelque manière que ce soit mon éducation. Qu'est-ce que je pouvais y faire ? Ce n'était pas de ma faute si j'avais grandi dans un nid de soie, si je n'avais jamais été habituée à sentir la merde des autres, ni à partager ma chambre avec des inconnues, pas plus qu'à prendre ma douche dans des installations communautaires. Et puis c'est Mathieu qui avait eu cette idée aussi ! Venir à Domburg ! Et pour quoi faire ? Il n'y avait rien à voir ici ! C'était un trou perdu, voilà tout. Même pas un musée à visiter, juste la mer, et encore, elle était glacée à mort. Monsieur pensait-il que j'allais m'accoutumer comme ça à une sale auberge de jeunesse alors qu'on dormait dans des Hilton depuis plus d'un mois ? Il me semble que j'avais bien le droit de me plaindre. Fallait-il qu'il me considère comme la fille la plus conne de la terre pour autant ? Moi, j'étais une pauvre gourde ? Il le croyait vraiment ? Cette idée m'était insupportable.

J'ai pris la dernière gorgée de mon Grand Marnier en me demandant ce que je pourrais bien faire pour me racheter à ses yeux et regagner un tant soit peu son estime. Comment redorer mon image, lui démontrer que j'étais mieux que ce qu'il croyait ? Déchirer l'annuaire des Hilton et lui dire : « À présent, Mathieu, c'est toi le guide. On ne dort plus que dans les auberges de jeunesse » ? Jamais de la vie. J'ai regardé dehors en espérant apercevoir sa silhouette : il n'y avait personne dans la cour du château. Celui-ci m'apparut beaucoup plus imposant dans l'obscurité, car on aurait dit que les vieilles pierres absorbaient les rayons de la lune et devenaient plus blanches que grises. Un éclair de génie m'a traversé l'esprit et j'ai su à ce moment ce qui ferait plaisir à Mathieu tout en lui apportant la preuve que j'étais une fille bien et non pas une connasse. Il y avait seulement à espérer que le barman serait moins stupide que la fille de la réception.

Le match de foot s'est terminé et les garçons qui se trouvaient au bar sont allés rejoindre un groupe de filles installées à une table. Ensuite ils sont tous partis. En passant la porte, un des garçons, qui était français, m'a demandé si je voulais les accompagner à la plage car il y avait une fête où tous les jeunes de l'auberge s'étaient donné rendez-vous.

— Certainement pas.

Avant même que le barman me demande si je désirais un autre verre, je l'ai prié de me dire s'il connaissait quoi que ce soit à propos de l'histoire du château. Au sourire qu'il a fait, j'ai vu que c'était dans la poche.

— Alors je vais prendre un autre Grand Marnier sur glace, s'il vous plaît.

Peter, c'était son nom, m'a tout raconté. Il cherchait les mots français les plus justes et, quand il ne les trouvait pas, il les disait en anglais. Il m'a appris que le château avait été construit au XVIIIᵉ siècle par un riche bourgeois de Rotterdam qui s'y évadait en compagnie de ses maîtresses. Jusqu'en 1950 environ, la demeure avait été léguée de père en fils, puis elle était passée aux mains de l'État, qui l'avait laissée vacante. L'oncle de Peter l'avait achetée dans les années soixante-dix; après l'avoir retapée, il lui avait donné cette nouvelle vocation.

— C'est tout? ai-je demandé à Peter, qui semblait avoir terminé son histoire.

— C'est tout, m'a-t-il répondu en haussant les épaules.

— Ah bon.

Au fond, j'étais contente que l'histoire du château soit si simple; je pourrais la retenir plus facilement. Je m'imaginais déjà, le lendemain matin, en train de la raconter à Mathieu. Je lui dirais, d'un ton détaché: « Tu te demandais ce que c'était, l'histoire de l'auberge? Eh bien! Blablabla », je lui répéterais les paroles de Peter. Personnellement, je la trouvais particulièrement ennuyeuse, l'histoire de ce château, je veux dire, il n'y avait pas de quoi en faire un plat, mais si c'est tout ce qu'il me fallait pour clouer le bec à Mathieu, ça m'était bien égal de la lui raconter.

Peter essuyait le comptoir avec un torchon. Il m'a regardée:

— Pourquoi tu veux savoir si c'est tout?

— Si c'est tout quoi?

— L'histoire du château.

J'ai pris une gorgée de mon verre.

— Parce que je suis très curieuse. J'adore l'histoire.

— Tu aimes l'histoire? *Really?*

— Oui, oui.

Alors il a continué à essuyer le comptoir en m'avouant qu'il avait omis un détail dans son récit. Je lui ai demandé ce que c'était. Il m'a dit que ça ne se racontait pas, qu'il fallait le voir.

— Si tu attends que je termine, je te le montre.

J'ai hésité, je commençais à être fatiguée, la tête me tournait un peu et j'avais hâte d'être couchée même si je savais que je n'allais pas bien dormir dans ce foutu dortoir. Mais j'ai aussi pensé que ça me ferait plus de détails à raconter à Mathieu et que, pour une heure de sommeil de plus ou de moins, ça en valait probablement le coup.

— Je t'attends, ai-je dit à Peter.

Quelques secondes plus tard, il a déposé un double Grand Marnier sur glace devant moi.

— *It's on the house,* m'a-t-il dit, un sourire de vainqueur accroché aux lèvres.

Ensuite, il a essuyé des verres et juste avant minuit, comme tous les jeunes de l'auberge avaient déserté le bar pour aller à la plage, toutes les chaises étaient montées sur les tables. Peter a éteint et nous étions prêts à partir.

Nous avons traversé la cour déserte puis nous sommes entrés dans le château. Nous sommes montés jusqu'au quatrième étage, là où étaient les chambres des employés de l'auberge. Peter m'a fait signe de ne pas faire de bruit tandis que nous longions le couloir que fermait une lourde porte de cuivre. Il a sorti un gros trousseau de clefs de la poche intérieure de sa veste de jeans. Il a déverrouillé la porte et, quand il l'a poussée, elle a tellement grincé qu'on aurait dit qu'elle gémissait de douleur. Ensuite, il l'a refermée derrière moi.

Il faisait très noir. Je me suis presque cassé la gueule en trébuchant sur la première marche. J'ai laissé tomber le sac de la pharmacie avec mes draps et mes gougounes dedans, mais je l'ai vite ramassé :

— Tu es O.K. ? m'a-t-il demandé.

J'ai dit oui, mais ce n'était pas vrai. C'est que ça puait étrangement. C'était une odeur fétide d'humidité, de pourriture ; immédiatement, j'ai eu mal au cœur en plus de me sentir étourdie. Les escaliers en colimaçon m'ont semblé interminables ; même si on les montait, j'avais l'impression qu'on les descendait parce que l'air se faisait de plus en plus lourd et l'obscurité, de plus en plus dense.

— Tu es O.K. ? m'a de nouveau demandé Peter en se retournant vers moi comme pour s'assurer que je le suivais toujours.

Encore une fois, j'ai dit oui même si je commençais à avoir un peu peur.

En haut des marches, il y avait une autre porte que Peter a dû déverrouiller. Il s'est éclairé avec son briquet qu'il tenait tout près de la serrure. La porte s'est ouverte en grinçant comme la première, et Peter est entré. Toujours à l'aide de son briquet, il s'est orienté jusqu'au milieu de la petite pièce, ensuite il a allumé une ampoule qui pendait au bout d'un vieux fil électrique. J'ai fait quelques pas hésitants. Peter semblait amusé par la frayeur qui devait transformer mon visage.

— Approche encore, m'a-t-il dit.

J'ai fait deux ou trois pas de plus. L'odeur de renfermé

me prenait à la gorge. Il y avait des toiles d'araignées qui pendaient du plafond jusqu'au sol, et la seule fenêtre des lieux était condamnée par une vieille planche pourrie. La pièce était ronde et ne faisait pas six mètres de diamètre. Le mur complètement recouvert d'étranges graffitis noirs comme du charbon.

— Où est-ce qu'on est?

Sans me lâcher des yeux, il m'a dit qu'on était dans l'une des deux petites tours du château. Il s'est approché du mur et m'a fait signe de le rejoindre.

— Sais-tu ce que c'est? m'a-t-il demandé en caressant un des graffitis.

Je n'avais aucune envie de jouer aux devinettes. Depuis le début du voyage, c'était la première fois que je me sentais aussi loin de chez moi. Ça s'est mis à me démanger partout et j'ai eu envie de me gratter de la tête aux pieds.

Peter a pris ma main puis il a fait glisser mes doigts tout le long du graffiti. J'ai senti une espèce de vase toute froide s'incruster sous mes ongles. Les signes semblaient gravés à même la pierre, car la surface du mur était raboteuse sous mes doigts. J'ai regardé autour de nous et j'ai eu l'impression que tous ces graffitis n'étaient que de vieilles rides sèches qui avaient creusé la pierre comme le visage d'une femme centenaire.

— C'est quoi? ai-je demandé à Peter en retirant ma main.

Il m'a offert une cigarette, mais je l'ai refusée parce que j'avais envie de vomir. Il s'en est allumé une.

— C'est quoi? a-t-il répété en rejetant la fumée. Je vais te dire.

Durant la Deuxième Guerre mondiale, comme les

Pays-Bas étaient sous l'occupation allemande, l'héritier du château, un marchand de La Haye, avait offert à ses amis juifs de se réfugier dans sa demeure de Domburg. Ce coin isolé du pays était un lieu plus sûr pour eux. Ils avaient donc accepté et s'y étaient rendus avec leurs familles. Au début, tout allait bien, ils s'étaient même fait un petit potager dans le jardin, mais plus le temps passait et plus ils avaient peur parce qu'ils avaient eu vent de quelques histoires sordides qui étaient arrivées aux leurs. Ils avaient donc décidé de se cacher dans les tours pour être davantage à l'abri en souhaitant très fort qu'on les oublie là. Mais un jour, les Allemands avaient débarqué par surprise au château de Domburg et avaient posé quelques questions aux domestiques. Comme ceux-ci ne disaient rien, ils en avaient noyé un dans l'étang pour encourager les autres à parler. Finalement, dans les deux petites tours, ils avaient trouvé plus de cent Juifs, entassés les uns sur les autres depuis près de trois mois. Le seul moment où ces derniers avaient pu vivre moins à l'étroit, c'était justement quand les Allemands les avaient découverts, car les soldats avaient jugé que ça ferait du bien aux femmes d'aller se dégourdir les jambes en leur compagnie. Pendant quelques jours, les hommes étaient donc demeurés seuls dans leur cachette qui n'en était plus vraiment une. Quant aux inscriptions qui ornaient les murs, les Juifs les avaient gribouillées tout au long de leur séjour ; plusieurs étaient illisibles. Pour les autres, il s'agissait de plaintes, de poèmes, de prières, parfois de tout cela en même temps.

Peter a écrasé sa cigarette et il n'a plus rien dit ; il m'observait comme s'il attendait une réaction quelconque de ma part. Moi, j'ai regardé autour de nous et j'ai pensé que c'était physiquement impossible que plus de vingt personnes puissent tenir dans la pièce.

— Tu mens.

— C'est la vraie histoire, m'a-t-il répondu tout en s'approchant de moi. C'est vrai.

Je me suis sentie tout étourdie de nouveau parce que je savais au fond de moi que Peter disait la vérité. Sinon, qui est-ce qui se serait amusé à dessiner ainsi sur les murs ? Les inscriptions étaient si bizarres. J'aurais voulu lui demander comment ces Juifs s'étaient lavés, nourris, comment ils avaient pu dormir ou déféquer en vivant empilés ici les uns sur les autres pendant tout ce temps, mais j'étais incapable de parler. Les seuls mots qui ont résonné dans ma tête ont été « c'est dégueulasse » ou quelque chose du genre, je ne me souviens plus, mais je sais que ce n'était pas cela que je voulais dire. En vérité je n'étais pas folle, je trouvais cette histoire terrible. C'est à ce moment, je crois, que je me suis mise à trembler. J'ai serré très fort contre ma poitrine mon petit sac avec mes draps et mes gougounes, comme si c'était un toutou en peluche ou un objet réconfortant de ce genre. J'ai senti la respiration de Peter derrière moi. Il m'a prise par la taille en m'entourant de ses deux bras.

— Tu es O.K. ?

Je n'ai rien répondu. Il devait bien voir que je tremblais, mais je crois qu'il s'en fichait.

— Donne ça, m'a-t-il dit en essayant de m'enlever mon sac. *Come on,* donne ça.

J'ai serré mon sac encore plus fort contre moi, mais il me l'a arraché des bras. Il l'a jeté par terre et j'ai vu les gougounes voler hors du sac et s'immobiliser plus loin sur le sol.

J'ai voulu courir les ramasser, mais j'étais comme pétrifiée. J'ai senti les lèvres et la salive de Peter toutes chaudes dans mon cou. On aurait dit que les murs et ces fichus graffitis se resserraient sur nous comme pour nous étouffer, du moins c'était mon impression, je ne crois pas que Peter l'aurait partagée parce que ses mains brusques se frayaient déjà un chemin sous mes vêtements.

Je me suis rendu compte que je pleurais car j'avais de la difficulté à respirer, mais je ne sais pas si c'était à cause de ce qui m'arrivait à moi ou à cause de ce qui était arrivé ici même à ces gens cinquante ans plus tôt. Très vite, j'ai senti la friction du plancher tout dur et tout froid sous mes reins. La voix de Peter m'est parvenue de très loin. Il parlait, il parlait sans cesse, sans s'arrêter, il disait toutes sortes de mots en néerlandais que je ne comprenais pas mais qui semblaient étranges. Dans ma tête, j'ai pu voir la scène d'en haut, c'était comme si je n'étais plus moi mais un petit oiseau, et j'ai pensé aux cartes postales avec les vues aériennes du château qu'avait voulu nous vendre la fille de la réception. Ensuite, je ne sais pas combien de secondes ou de minutes plus tard, il y a eu le bruit d'une fermeture éclair qu'on remontait d'un geste sec.

— Tu aimes ça ? m'a demandé Peter en riant.

J'ai ramassé mes gougounes et mon sac, et j'ai dévalé les escaliers de la tour.

Le lendemain matin, vers neuf heures, je me suis rendue à la cafétéria. Mathieu mangeait, assis seul à une table. Au comptoir, on servait des œufs brouillés, du bacon, du fromage et des toasts. J'ai pris un café et je suis allée le rejoindre.

— Tu fais bien, m'a dit Mathieu quand il a vu que je ne mangeais pas. La bouffe est dégueulasse, on prendra un snack à la gare.

Il a repoussé son assiette. Comme je ne disais rien, il a peut-être pensé que j'étais encore fâchée. Pour nourrir la conversation, il a entrepris de me raconter sa nuit. D'abord, il avait eu du mal à s'endormir à cause de la chaleur suffocante de sa chambre. Ensuite, ses compagnons de dortoir l'avaient réveillé en rentrant ivres à trois heures du matin.

— Il y en a un qui a pris mon lit pour le sien et il s'est écroulé sur moi.

Un autre avait vomi sans avoir le temps de se rendre aux toilettes.

— Tu t'imagines l'odeur dans la chambre après ça?

J'ai eu l'impression qu'il exagérait un peu. Il a ajouté :

— Et puis, tu ne me croiras pas, mais j'ai bien failli aller t'emprunter tes gougounes ce matin. Figure-toi donc que le gars qui avait pris sa douche avant moi s'était crossé dedans. Le sol était recouvert au complet.

Distraitement, j'ai dit à Mathieu qu'avec toutes ces histoires de dortoir la douche était probablement le seul lieu où le type en question avait pu trouver un peu d'intimité.

— Alors qu'est-ce que tu as fait?

— Je me suis gossé un genre de tapis avec mon t-shirt et puis je l'ai balancé aux poubelles par après.

J'ai pris une gorgée de café.

— T'as appris ça chez les scouts? lui ai-je demandé.

— Tu te fous de ma gueule?

Quand nous avons quitté l'auberge pour aller prendre l'autobus pour Middelburg, Mathieu m'a demandé si j'avais réservé la chambre au Hilton de Munich. Je lui ai dit que c'était réglé depuis une semaine déjà et il a eu l'air satisfait. Il s'est tourné vers le château une dernière fois.

— Site historique, site historique, *bullshit,* ouais, a-t-il grogné. En plus, tu sais que j'ai dû dormir directement sur le putain de matelas tout jauni parce que cette bande d'incompétents avait oublié de mettre des draps dans mon lit?

J'ai donné un coup de pied sur une pierre qui est allée percuter un arbre. Ensuite, nous avons marché silencieusement tout au long du chemin rocailleux. C'est seulement quand nous sommes arrivés sur la route que je suis parvenue à lui dire :

— Il fallait simplement que tu descendes en chercher.

Il ne m'a pas entendue. Il a aperçu l'autobus à l'horizon et il s'est mis à courir vers l'arrêt qui était à une cinquantaine de mètres.

— Dépêche-toi, Elsa, a-t-il crié en se retournant vers moi. Dépêche-toi ! Il ne faut pas le manquer.

J'ai couru à mon tour, et je crois que jamais de toute ma vie je n'ai couru aussi vite que cette fois-là.

Vanille ou chocolat

Jeudi, j'ai eu dix ans. Mardi soir, maman m'a dit:
« Invite les garçons de ta classe; je vais t'organiser une
petite fête samedi après-midi. » Je lui ai demandé si les
filles aussi pouvaient venir. Maman m'a donné la permission, mais je pense qu'elle était surprise parce qu'elle a
ajouté: « C'est rare, les petits garçons de ton âge qui
recherchent la compagnie des petites filles; je croyais que
vous auriez préféré jouer avec l'ordinateur ou construire
des modèles réduits. » J'ai trouvé qu'elle n'avait pas rapport, mais je ne lui ai pas dit de peur qu'elle se fâche. De
toute manière, j'étais déjà loin dans mes rêves à m'imaginer la belle petite Sandrine aux cheveux roux chez moi,
dans mon sous-sol, en train de manger des chips et des
cerises enroulées dans des tranches de bacon.

Je suis monté dans ma chambre et j'ai pris des grosses
feuilles de carton mauve. Je les ai découpées pour fabri-
quer des petites cartes d'invitation. Je ne voulais pas inviter tous les garçons de ma classe ni toutes les filles. Par
exemple, je n'ai pas fait de carte pour Sylvain, le chouchou
du professeur, parce qu'il est plate : il a toujours le nez dans

ses livres. Je n'ai pas fait de carte pour Soleil non plus parce qu'elle mange toujours des sandwichs à la luzerne et qu'elle dit que je vais attraper le cancer quand elle me voit manger mes sandwichs au jambon à l'heure du midi. Elle, c'est pas parce qu'elle est plate que je ne l'ai pas invitée, c'est parce que je pense qu'elle est folle et puis, de toute façon, elle aurait fait peur à tout le monde en disant des choses du genre que les hot-dogs de maman sont des restants d'animaux morts.

J'ai fait une carte pour Joseph, une pour Jean-François, une pour Nicolas, une pour Maximilien, une pour Charles. J'ai pris ma plus belle écriture pour Sandrine. Pour être certain qu'elle acceptera mon invitation, j'ai fait une carte pour Violaine et une autre pour Noémie parce que ce sont ses deux meilleures amies. J'ai compté les cartes devant moi et je me suis dit que huit invités, ce serait assez ; ça ferait plus de chips et de boissons gazeuses pour tout le monde. Et ça me ferait suffisamment de cadeaux.

Le lendemain, à la récréation de dix heures, j'ai distribué mes cartes à mes invités. Mes amis garçons ont accepté tout de suite. Les trois filles sont allées se consulter dans le coin de la cour de l'école. Quand elles sont revenues, elles m'ont dit qu'elles pouvaient venir à ma fête, mais qu'elles allaient devoir partir à trois heures pour assister à leur cours de ballet classique. Sandrine souriait et je l'ai imaginée en tutu, un petit tutu comme ceux que portaient les ballerines dans le *Casse-Noisette* que maman m'avait emmené voir pendant les vacances de Noël. La cloche a sonné et on est retournés en classe.

Jeudi, toute la classe m'a chanté « bonne fête » avant l'heure du dîner. J'ai reçu une carte géante signée par tous les élèves. J'ai cherché la signature de Sandrine : elle était dans le coin gauche. Sandrine avait écrit son nom avec son stylo mauve. Elle avait une belle écriture. Le S de son nom avait les extrémités en forme d'escargot. Je me suis dit que ça voulait certainement dire quelque chose, qu'elle avait dû faire cela spécialement pour moi parce que, dans la carte de fête qu'on avait donnée à Maximilien le mois précédent, elle avait signé au crayon à mine comme tout le monde et le S de son nom était bien ordinaire.

Après l'école, mon père est venu me chercher. Sur le siège arrière de la voiture, il y avait un gros paquet enveloppé de papier or. Il m'a dit que c'était pour moi et je l'ai déballé. C'était une superbase spatiale avec des tableaux de bord numériques et des lumières rouges qui s'allument pour vrai. Je lui ai dit : « Merci, papa, merci beaucoup. » Il m'a répondu que ce n'était que le début de notre soirée, qu'il m'invitait au restaurant et ensuite au hockey. Je lui ai demandé si sa blonde Marlène venait avec nous et il m'a dit : « Non, on passe une soirée entre gars. » Moi, ça ne me posait pas de problème. Je lui ai parlé de la fête que maman m'organisait samedi et je lui ai dit pour les trois filles que j'avais invitées. Papa a ri et il a dit que trois filles seulement ce n'était pas assez, que nous les garçons, on allait vite s'ennuyer. Il a dit qu'il fallait toujours qu'il y ait plus de filles que de garçons pour qu'une fête soit amusante. Et puis il a ajouté : « Tu verras, l'année prochaine, je vais t'en organiser, moi, une vraie fête. Avec plein de petites filles. » Je n'ai rien répondu ; je pensais seulement à Sandrine, à son beau S aux extrémités en forme d'escargot. Mon père et moi, on est allés souper dans un restaurant grec et, au Centre Molson, les Canadiens ont perdu en prolongation. Quand il m'a reconduit à la maison, maman l'a chicané en lui disant qu'il me ramenait trop tard et que j'allais être fatigué à l'école le lendemain. Je me suis couché en regardant une dernière fois la signature de Sandrine et j'ai rangé la carte dans ma taie d'oreiller.

Vendredi, après l'école, Sandrine était devant son casier et je suis passé derrière elle. Je lui ai dit : « À demain, Sandrine. » Elle m'a répondu qu'elle s'en allait acheter mon cadeau avec sa mère et qu'elle ne me disait pas ce que c'était. Au même moment son amie Violaine est arrivée. Elles se sont mises à rire toutes les deux en me tournant le dos. Elles ont caché leur visage derrière la porte du casier et Sandrine a dit à Violaine quelque chose à l'oreille. Moi, je suis parti en me disant que les filles sont bizarres, qu'elles vous dessinent des S avec des extrémités en forme d'escargot dans vos cartes de fête mais qu'elles font leurs cachottières avec vous quand vous allez leur parler.

Samedi matin, j'ai voulu aider maman à préparer les plats de chips, les cerises au bacon, les mini-hot-dogs, les boissons gazeuses, les jus et tout le reste, mais elle m'a dit que je ne devais toucher à rien, que c'était ma fête, que je n'avais qu'à monter me préparer avant que mes amis arrivent. Je lui ai demandé si elle avait acheté du punch aux fruits ; elle m'a dit non. « Malheur », ai-je pensé. Sandrine, c'est toujours du punch aux fruits qu'elle apporte dans son lunch à l'école. J'ai espéré qu'elle ne serait pas trop déçue quand elle verrait qu'il n'y en a pas dans mon sous-sol.

Je suis allé dans ma chambre. J'ai mis mon beau pantalon noir et ma chemise bleue ; j'ai mis mes baskets qui *flashent* dans le noir. Je suis allé dans la salle de bains et je me suis brossé les dents. Je me suis peigné devant le miroir; dans la pharmacie, j'ai trouvé le tube de gel de maman et j'en ai mis un peu dans mes cheveux pour faire comme les garçons de la polyvalente que je vois parfois passer devant la cour de notre école. Après tout ça, je devais être bien beau parce que, quand je suis redescendu, maman m'a dit : « Mon Dieu, Jérémie, c'est pas Noël, c'est juste ta fête. » Elle s'est mise à rire : « Comment elle s'appelle? » Je lui ai dit qu'elle n'avait pas rapport, mais elle a insisté : « Jérémie, allez, dis-le-moi; je suis ta maman. » Alors je lui ai confié que c'était Sandrine aux cheveux roux, mais je lui ai demandé de ne le répéter à personne. Elle a posé un doigt sur ses lèvres : « Bouche cousue. » Maman m'a demandé ce qu'elle avait de spécial, la petite Sandrine. Je lui ai dit qu'en plus d'avoir des cheveux roux elle avait de grosses taches de rousseur sur les joues et que je la trouvais bien belle, même si je la traitais souvent de carotte broyée. Maman m'a dit que ce n'était pas très gentil. Je lui ai dit que Sandrine m'appelait « Jérémouille pas d'couilles ». Maman a eu un drôle d'air. Je lui ai parlé du parfum à la pomme verte de Sandrine, son parfum qui sent si doux, exactement comme la mousse que maman met dans son bain. Maman m'a demandé si Sandrine était bonne à l'école; je lui ai dit que oui et qu'en plus elle faisait du ballet classique en beau petit tutu comme dans *Casse-Noisette*. Maman a dit qu'elle avait bien hâte de voir Sandrine et je l'ai aidée à descendre les plats de chips au sous-sol.

Les garçons sont arrivés avant les filles. C'est le père de Charles qui les a tous conduits dans sa grosse voiture familiale. Maman lui a offert un café, mais il a refusé, alors elle lui a dit de revenir vers quatre heures. Mes amis ont voulu me donner mes cadeaux tout de suite, mais maman a dit qu'il fallait attendre le gâteau.

On est descendus au sous-sol. J'ai montré à mes amis la superbase spatiale que mon père m'avait offerte. Ils la trouvaient bien belle. Maximilien m'a dévisagé puis il a dit : « Jérémouille, qu'est-ce qu'il y a ? Pourquoi tu t'es mis chic comme ça ? » Je lui ai dit qu'il n'avait pas rapport. Charles a dit : « C'est pour laquelle ? Sandrine, Violaine ou Noémie ? » Je me suis presque fâché mais j'ai juste dit : « C'est quoi l'affaire ? Vous êtes ben tarlais ! » Je me suis levé et j'ai apporté les plats de chips près du divan ; on a commencé à en manger. Nicolas nous a demandé laquelle des filles de la classe on aimait le mieux. Joseph a dit qu'il n'en aimait aucune, Jean-François a dit qu'il préférait les filles de l'école secondaire, Maximilien a dit que l'autre jour il avait pincé les fesses de Soleil parce qu'elle avait mis de la luzerne en cachette dans son sandwich au rosbif, Charles a dit que lui, il aimait une fille qui habitait près de son chalet et qu'il lui donnait des becs avec sa langue quand ils allaient dans la forêt. Joseph a dit que c'était dégueulasse de faire ça à cause des microbes. Nicolas a ri en disant que lui, sa préférée, c'était la professeure d'éducation physique, et que l'autre jour, quand il avait eu une crampe pendant le cours de volley-ball, ce n'était pas une vraie crampe : c'était juste pour qu'elle se penche au-dessus de lui et qu'il puisse voir ce qu'il y avait en dessous de son chandail. Joseph lui a dit que c'était laid, en dessous du chandail des filles, qu'au départ c'était comme nous, sauf que ça se mettait à gonfler quand les filles avaient quatorze ans, et que c'était de plus en plus laid à mesure qu'elles grandissaient parce que ça devenait lourd, tout ça, si bien que ça finissait par leur pendre jusqu'au nombril : « Comme ma mère », a dit Joseph, le regard terrifié. Nicolas m'a demandé qui c'était, ma préférée à moi. J'ai dit : « Je sais pas, je sais pas. » Charles a dit : « C'est facile, imagine juste à laquelle tu préférerais donner des becs avec ta langue. » J'ai répété que je ne savais pas et Joseph a dit : « Tant mieux, tant mieux, c'est dégueulasse, plein de microbes. » Moi, je ne voulais pas leur dire que c'était Sandrine que j'aimais bien, j'étais beaucoup trop gêné. Alors je leur ai dit : « Passez-moi donc les chips au vinaigre. » Nicolas m'a demandé si j'allais mettre de la musique pour qu'on puisse danser collés lentement contre les filles tout à l'heure. J'ai dit que ça ne me dérangeait pas mais qu'il y avait juste trois filles et que nous étions cinq garçons. Joseph a dit qu'on n'avait pas à le compter parce que lui, il ne danserait jamais collé contre une fille. Il restait donc un garçon de trop. Maximilien a proposé qu'on fasse comme dans le cours de volley-ball, chacun notre tour, une sorte de rotation des joueurs. J'ai pensé que ça voudrait dire que les autres aussi danseraient avec Sandrine et j'ai compris pourquoi papa m'avait dit qu'il fallait toujours plus de filles que de gars dans une fête : au moins, tu n'es pas obligé de faire la rotation des joueurs pour danser avec celle que tu aimes. Ce n'était pas vrai, mais j'ai dit à mes amis : « Les gars, j'ai pas de musique pour danser collé lentement. »

Quand les filles sont arrivées, maman a descendu les cerises au bacon, les mini-hot-dogs, le jus et les boissons gazeuses. Elle a dit : « Bon appétit, les enfants » en regardant Sandrine et, avant de remonter, elle m'a fait un clin d'œil. On a mangé en faisant le va-et-vient entre la table et le divan. Mes amis et moi, on s'est assis par terre pour laisser la place sur le divan aux filles. Nicolas était à côté de moi et, quand les filles se levaient pour aller chercher quelque chose à boire ou à manger, il essayait de voir en dessous de leurs jupes. Quand je l'ai vu faire ça, je lui ai donné un coup de coude dans les côtes pour qu'il s'arrête ; j'avais peur que les filles s'aperçoivent de son jeu et qu'elles ne veuillent plus jamais revenir dans mon sous-sol. Maximilien, Charles et Jean-François étaient assis par terre en face de nous et ils faisaient leurs comiques en mangeant : avant d'avaler, ils ouvraient la bouche et ils disaient : « Regardez, les filles » en tirant leurs langues sur lesquelles il y avait de gros morceaux de nourriture à moitié mastiquée. Moi, j'étais bien content de voir que Sandrine aimait le jus de pommes et pas seulement le punch aux fruits. Joseph, lui, il se tenait près de la table, bien à l'écart des filles, et il mangeait sans dire un mot.

Lorsque les plateaux de cerises au bacon et de mini-hot-dogs ont été vides, les filles se sont mises à parler entre elles de leur cours de ballet classique. Nous, on les écoutait sans comprendre, alors Maximilien leur a demandé de nous faire une démonstration. Au début, elles n'ont pas voulu, mais ensuite tous en chœur, sauf Joseph, on les a suppliées. On leur a dit : « Allez, pas longtemps, juste une petite danse. » Alors elles se sont mises à rire et elles ont dit qu'elles allaient nous montrer la première partie de la chorégraphie qu'elles répétaient dans leur cours. Elles se sont levées et elles se sont placées l'une à côté de l'autre. Elles ont commencé à tourner sur elles-mêmes en même temps toutes les trois et à faire quelques mouvements comme ça. Mes amis et moi, on se retenait tous pour ne pas rire ; moi, c'était parce que j'étais nerveux, je n'avais jamais vu de filles danser si près de moi, pour moi, dans mon sous-sol. « C'est plus beau quand il y a de la musique », a dit Sandrine, mais moi, je trouvais ça très bien comme ça. S'il n'y avait eu personne d'autre avec nous, je lui aurais dit que c'était elle, la meilleure. Puis il est arrivé quelque chose : pendant qu'elle tournait sur une patte seulement, Violaine est tombée. Noémie et Sandrine se sont précipitées sur elle et nous, on se retenait encore plus pour ne pas rire. Violaine s'est relevée et elle s'est traînée jusqu'au divan. Elle s'est assise et elle s'est frotté la cheville en disant qu'elle se l'était foulée. Puis elle m'a regardé, l'air fâchée, et elle m'a dit : « Pourquoi est-ce qu'il y a du tapis dans ton sous-sol ? Ça glisse pas comme du monde quand on tourne ! » Moi, je ne savais pas quoi répondre, alors je me suis excusé même si je savais que ce n'était pas de ma faute. Sandrine a dit à Violaine qu'elle allait manquer le dernier cours de ballet avant le spectacle de la semaine prochaine, et Violaine s'est mise à se plaindre encore plus. Ensuite, Sandrine et Noémie ont réussi à la calmer, elles lui ont promis qu'elles lui montreraient tout ce qu'elles apprendraient de nouveau au cours tout à l'heure. Nous, on n'a plus su quoi dire ; je crois qu'on s'est tous sentis un peu mal à l'aise d'être témoins de ces chichis de filles. Tandis qu'elles continuaient de discuter sur le divan, on est allés s'amuser avec ma nouvelle superbase spatiale.

Quelque temps après, maman a crié du haut des escaliers : « Les enfants, êtes-vous prêts pour le dessert ? » On lui a répondu oui et, cinq minutes plus tard, elle descendait les marches avec mon gâteau. Elle avait éteint toutes les lumières et tous mes invités m'ont chanté « bonne fête ». Quand j'ai soufflé les bougies, j'ai fait un vœu, je me suis dit dans ma tête : « Sandrine ». Je ne savais pas quoi, quand, où ni comment : juste « Sandrine ». Et puis j'ai réussi. Du premier coup, j'ai éteint toutes les bougies.

Mes invités m'ont donné mes cadeaux. Joseph m'a offert des cartes de baseball, Charles des cartes de hockey, Maximilien une casquette rouge, Jean-François un t-shirt bleu, et Nicolas le petit bonhomme de guerre qui manquait à ma collection. Les filles m'ont toutes les trois donné des livres. Noémie un livre sur les dinosaures, Violaine un livre sur la nature, et Sandrine le plus beau livre de tous les livres : un livre sur les planètes. Je pensais que maman allait me dire de faire la bise aux filles pour les remercier, comme elle me dit toujours de le faire à Noël, quand j'ai fini de déballer les cadeaux de grand-maman, de mes tantes ou de mes cousines. Mais maman est remontée sans dire un mot et j'ai pensé que c'était bien dommage, car cela m'aurait donné l'occasion de sentir le parfum aux pommes de Sandrine d'un peu plus près que d'habitude.

Quand on a eu fini de manger le gâteau, Sandrine est venue s'asseoir par terre près de moi. J'étais bien content parce que je savais qu'elle devait partir bientôt. Elle m'a demandé : « Aimes-tu ton livre sur les planètes ? » Je lui ai répondu qu'elle avait eu une bonne idée, étant donné que la sortie de classe au Planétarium était prévue pour le jeudi suivant. Je lui ai dit que j'apporterais le livre pour mieux suivre ce qu'on nous montrerait et qu'elle pourrait s'asseoir près de moi si elle le voulait. Elle m'a dit que j'étais gentil. Ensuite, elle m'a demandé si je voulais venir à son spectacle de ballet classique dans le sous-sol de l'église la semaine suivante. «Bien sûr», lui ai-je répondu en essayant de ne pas trop montrer mon enthousiasme. Je ne savais pas que les vœux se réalisaient si vite quand on soufflait d'un seul coup toutes les bougies de notre gâteau d'anniversaire.

On était en train de jouer aux charades quand maman a ouvert la porte du sous-sol pour crier que la mère de Sandrine était arrivée. Noémie et Sandrine se sont levées : «Bye», nous ont-elles dit. Violaine les a suivies en boitant pour aller appeler sa mère et lui demander qu'elle vienne la chercher chez moi étant donné qu'elle s'était foulé la cheville. «Salut, carotte broyée!» ai-je lancé à Sandrine quand elle est arrivée en haut des escaliers. Je croyais qu'elle allait me répondre «Jérémouille pas d'couilles!», mais la porte du sous-sol s'est refermée derrière Violaine sans que Sandrine me crie quoi que ce soit. J'ai eu un pincement au cœur parce que j'ai pensé que j'avais peut-être mal agi et qu'elle ne voudrait peut-être plus jamais revenir dans mon sous-sol si c'était de cette manière-là que je lui disais au revoir. Je me suis dit que je ne traiterais plus jamais Sandrine de carotte broyée.

Quand Violaine est redescendue, mes amis sont allés jouer avec ma superbase spatiale. Moi, j'ai observé le sous-sol et j'ai trouvé qu'il n'était plus le même maintenant que Sandrine était partie. Je me sentais un peu comme lorsque je regarde un match de hockey mais que ce ne sont pas les Canadiens qui jouent : tout m'était devenu indifférent. Je suis allé m'asseoir sur le divan près de Violaine et j'ai feuilleté mon livre sur les planètes. À chaque page que je tournais, je pensais à Sandrine et je m'ennuyais déjà d'elle. À un certain moment, Violaine, qui regardait mes cartes de hockey, m'a dit qu'elle en avait encore plus que moi et qu'il me manquait de nouveaux joueurs. Au début, je ne l'ai pas crue : les filles ne s'intéressent pas au hockey, lui ai-je dit. Elle s'est fâchée, disant que son oncle était l'entraîneur d'une équipe junior et qu'elle savait beaucoup plus de choses que moi sur le hockey. Alors je lui ai posé des questions sur ce sport, et toutes ses réponses étaient bonnes. Mes amis nous écoutaient et ils se sont approchés de nous, aussi étonnés que moi de voir une fille si bien connaître le hockey. Ils ont eu l'idée qu'on fasse un quiz sur le hockey ; on a pris mes cartes et on s'est mis à se poser des questions en regardant les informations au verso des photos. On n'a pas compté les points, mais si on l'avait fait, ce serait Violaine qui aurait gagné.

Maman a ouvert la porte du sous-sol pour nous annoncer que le père de Charles était devant la maison et qu'il venait tout juste de klaxonner. Mes amis se sont levés et ils nous ont dit au revoir. Maman a descendu quelques marches et elle a demandé : « Jérémie et Violaine, avez-vous faim ? » On lui a répondu que non. Elle est remontée sans refermer la porte du sous-sol derrière elle.

Violaine et moi, on a encore parlé de hockey, mais à un certain moment je me suis tanné parce que ses connaissances étaient de loin supérieures aux miennes. J'ai changé de sujet et je lui ai demandé si sa cheville allait mieux ; elle m'a répondu de ne pas m'en faire, que demain la douleur serait certainement partie. Elle s'est excusée de m'avoir chicané plus tôt à cause du tapis de mon sous-sol. Je lui ai répondu que ce n'était pas grave, que c'était normal qu'elle se fâche puisqu'elle manquait son dernier cours de tutu avant le spectacle. Violaine a sorti un paquet de gommes aux fraises de la poche arrière de sa jupe et elle m'en a offert une. Quand j'ai mis la gomme dans ma bouche, j'ai senti qu'elle était toute chaude et déjà toute molle, et j'ai pensé que c'était parce qu'elle était restée trop long-temps dans la poche de Violaine. J'ai mâché la gomme ; ça goûtait bon les fraises sures et sucrées. Violaine ne par-lait plus, alors je lui ai demandé si elle voulait qu'on lise des bandes dessinées. Elle a haussé les épaules comme si elle avait voulu dire non et elle n'a rien répondu. On est demeurés silencieux ; tout ce qu'on pouvait entendre, c'était le bruit qu'on faisait en mâchant nos gommes. À un certain moment, Violaine s'est tournée vers moi, et elle a dit : « Est-ce qu'on échange nos gommes ? » Je ne lui avais même pas encore dit oui qu'elle a collé ses lèvres sur les miennes et qu'elle s'est mise à aspirer l'air de ma bouche pour récupérer la gomme qu'elle venait de me donner. Ensuite, elle a poussé sa gomme à elle dans ma bouche et elle a reculé en disant : « Je l'ai eue ! » Je me suis levé du divan et j'ai couru jusqu'à la table pour cracher sa gomme dans le plat de chips vide. « C'est dégueulasse », lui ai-je dit. Je me suis essuyé la bouche avec le revers de la manche de ma chemise bleue. Je suis resté debout près de la table : « T'es pas déniaisé », m'a dit Violaine. Moi je lui ai dit que c'était elle qui avait un problème, qu'elle m'offrait une gomme pour me la reprendre après. Elle m'a dit qu'elle m'en donnerait une autre si je le voulais, et qu'elle me la laisserait cette fois si je ne voulais vraiment pas jouer à son jeu. Je suis retourné m'asseoir à l'autre bout du divan et elle m'a donné sa dernière gomme. J'ai pris mon livre sur les planètes et j'ai voulu le lire, faire comme si Violaine n'était pas là, mais je n'étais pas capable de me concentrer sur les phrases que j'avais sous les yeux; je pensais juste à ce que Violaine venait de faire et je me suis demandé si c'était ça, donner des becs avec sa langue, comme Nicolas disait qu'il le faisait dans la forêt avec la voisine de son chalet. J'aurais voulu savoir si c'était la voisine qui commençait ou bien si c'était lui, et s'ils utilisaient une gomme ou non, peut-être pour que ça ait meilleur goût. Je me suis aussi demandé si c'était vraiment dégueulasse et je me suis dit que ça ne pouvait pas l'être tant que ça puisqu'on voyait des gens le faire à la télé, souvent avec de la musique et tout et tout. J'ai jeté mon livre sur les planètes par terre et je me suis tourné vers Violaine; je lui ai demandé si je pouvais prendre ma revanche et elle a dit que ça ne la dérangeait pas. Moi, je sentais bien qu'il fallait que je le fasse une deuxième fois, juste pour voir. Je me suis approché d'elle et j'ai mis ma bouche sur la sienne; j'ai sorti ma langue et je lui ai volé sa gomme. Je lui ai donné la mienne mais je n'ai pas reculé et, cette fois, c'est elle qui a volé ma gomme et qui m'a renvoyé la sienne. On a fait ça pendant un bout de temps, je pensais qu'on allait s'arrêter quand on ne serait plus capable de respirer, mais je pouvais reprendre mon souffle par le nez. C'est maman qui nous a interrompus, elle a crié que la mère de Violaine était arrivée. Je ne savais pas pourquoi elle criait, elle était tout près de nous, elle avait descendu les marches et on ne l'avait pas entendue. Violaine s'est levée, elle a dit merci à ma mère et elle a vite gravi les marches sans qu'on l'accompagne à la porte. Maman me fixait avec des yeux en colère, elle m'a dit : « Jérémie, tu me déçois beaucoup. Va dans ta chambre. » J'ai pris mon livre sur les planètes et je suis monté. En haut des marches, je me suis rendu compte que j'avais deux gommes dans la bouche. Je les ai mâchées pour qu'elles s'unissent et ça m'a fait une grosse chique.

Lorsque maman est venue cogner à la porte de ma chambre vers sept heures pour me dire que le souper était prêt, j'avais déjà terminé la lecture de mon livre sur les planètes ; je pensais que comme ça, pendant la sortie au Planétarium, je pourrais montrer à Sandrine que je connaissais la galaxie par cœur et elle verrait que je suis très intelligent. Et étant donné que Violaine s'assoirait sûrement à côté de Sandrine, elle entendrait mes paroles et je serais à égalité avec elle qui en connaît plus que moi sur le hockey. Je suis descendu à la cuisine et ça sentait le steak. Mon assiette était déjà servie, avec de la purée et des petits pois. Ma gomme ne goûtait plus rien, alors je l'ai jetée à la poubelle. J'ai mangé sous le regard attentif de maman. Quand mon assiette a été vide, maman m'a demandé : « Jérémie, pourquoi as-tu embrassé Violaine ? » Je lui ai dit que c'était une chose normale à mon âge, que mon ami Nicolas le faisait déjà depuis longtemps. Maman a froncé les sourcils et a dit : « Mais te rends-tu compte ? Tu me parles de la petite Sandrine et tu embrasses son amie ! Franchement, Jérémie ! Ça ne se fait pas ! » Je n'ai rien trouvé à répondre, et c'est à ce moment seulement que je me suis mis à espérer que Violaine ne dirait pas à Sandrine ce qu'on avait fait dans mon sous-sol. Surtout pas avant la sortie au Planétarium et leur spectacle de tutu. Maman a ramassé mon assiette ; moi, je me suis dirigé vers le frigo pour me servir de la crème glacée. J'ai pris un bol et, comme je le fais chaque soir, j'y ai mis une boule de crème glacée à la vanille et une autre au chocolat. Je suis retourné m'asseoir à table ; maman s'était allumé une cigarette, comme ça lui arrive parfois quand elle est énervée. Elle était toute rouge et elle s'est mise à crier : « Ça ne se passera pas comme ça. Oh ! non ! C'est la dernière fois que je t'organise une fête avec des filles, Jérémie. Elles ne remettront plus jamais les pieds dans le sous-sol, m'entends-tu ? » Maman a lâché sa cigarette et il y a eu de petites étincelles sur le napperon devant elle. Elle continuait toujours à hurler : « Si tu ne sais pas ce que c'est que faire des choix dans la vie, je vais te l'apprendre, moi ! Tu aimes ça, non, la crème glacée à la vanille mélangée avec de la crème glacée au chocolat ? Eh bien ! Ce soir, tu vas manger une seule des deux boules que tu as devant toi, et la saveur que tu choisiras sera la seule que tu auras la permission de manger pendant un mois ! Voilà, Jérémie ! Le bon sens dans la vie, ça s'apprend ! » Maman tirait sans arrêt sur sa cigarette. Après, elle l'a écrasée et elle s'est levée. Elle a dit : « Je descends faire la lessive. Quand je remonterai, je veux que tu aies pris une décision. » Elle a regardé mon bol de crème glacée auquel je n'avais toujours pas touché. Elle a répété : « Pendant un mois, juste vanille ou juste chocolat ! », puis elle est descendue. Moi je trouvais qu'elle exagérait un peu, maman. À vrai dire, je ne voyais pas le rapport dans tout cela, et puis ça ne me tentait pas de choisir entre ma crème glacée à la vanille et celle au chocolat. Le chocolat, c'est bien bon, mais la vanille, avec le temps des cabanes à sucre qui s'en vient, c'est si délicieux avec de la tire d'érable étendue dessus. C'est comme de la neige, sauf que c'est sucré. Et puis les deux saveurs mélangées, ça s'équilibre parfaitement; ça donne un beau mélange brun pâle tout lisse quand je fais ramollir les deux boules en les travaillant avec ma cuillère. Je me suis dit qu'il n'était pas question que je me soumette aux folies de maman. Tout à coup, j'ai eu une idée : je me suis rendu à l'évier et j'ai fait couler de l'eau très chaude sur les parois extérieures du bol en empêchant les boules de crème glacée de tomber à l'aide de ma cuillère. Quand elles ont été toutes molles, j'ai essuyé mon bol avec le linge à vaisselle et je suis retourné m'asseoir. Après, j'ai attendu que maman remonte, et pendant ce temps-là les deux boules de crème glacée ont eu le temps de fondre encore plus. Quand j'ai entendu maman venir, je me suis mis bien droit sur ma chaise. Elle est entrée dans la cuisine et elle a regardé mon bol. C'est alors que je lui ai demandé : « Maman, si les deux boules ont fondu, est-ce que ça veut dire que je peux les manger toutes les deux? » Maman a laissé tomber la pile de serviettes pliées qu'elle tenait dans ses bras et elle a crié : « Fais donc ce que tu veux, Jérémie, oui, c'est ça, fais à ta tête! Je n'arriverai à rien avec toi! Tu vas finir comme ton père! » Puis elle s'est mise à pleurer et elle est montée dans sa chambre en courant. Moi, je suis resté devant mon bol de crème glacée, mais je ne l'ai pas mangée. Je crois que les deux boules avaient un peu trop fondu, et puis je n'avais plus vraiment faim parce que ça me fait toujours de la peine quand je vois maman pleurer; ça lui arrive souvent depuis cet été, depuis que papa n'habite plus avec nous.

Le reste de la soirée a été plutôt triste : maman n'est pas sortie une seule fois de sa chambre. Je me suis dit que c'était dommage parce que la journée avait si bien commencé. J'ai ramassé les serviettes sur le plancher de la cuisine en me disant que même si maman ne voulait plus jamais que j'invite de filles dans mon sous-sol, ce n'était pas grave parce que mon père m'avait promis de m'organiser une vraie fête l'année prochaine. Ensuite, je suis allé dormir parce que je n'avais plus rien à faire. En fermant les yeux, j'ai vu deux petits tutus roses tourner devant moi comme des toupies. J'ai senti quelque chose dans ma taie d'oreiller et je me suis rappelé que j'y avais rangé la carte géante que ma classe m'avait offerte. J'ai allumé la lampe de ma table de chevet et ouvert ma carte d'anniversaire. Encore une fois, j'ai admiré le beau S de Sandrine aux extrémités en forme d'escargot. Cette fois-ci, par contre, j'étais trop curieux pour ne pas jeter un coup d'œil sur la signature de Violaine : le O de son nom était en forme de cœur.

La couenne

J'arrivais tout juste au rayon des charcuteries pour y commander une dizaine de tranches de salami hongrois lorsqu'un homme, qui attendait déjà, a levé le petit doigt pour faire signe à une fille derrière le comptoir.

— Ce sera une demi-livre de prosciutto pour moi, et tranchez-le très mince s'il vous plaît, lui a-t-il demandé.

Il avait une quarantaine d'années. Il portait un imperméable noir et des lunettes. Il avait une gueule plutôt moche, aucun charme ni quoi que ce soit. La vendeuse s'est penchée pour prendre le morceau de viande italienne qui était d'un rouge presque violet ; à travers la vitrine j'ai vu se glisser dans son regard une amère exaspération, comme un long soupir qui traversait ses yeux au lieu de filer entre ses lèvres. Sans doute passait-elle une mauvaise journée. « Pauvre elle », ai-je songé, subitement attendrie. Ça faisait au moins deux semaines que je n'avais pas éprouvé la moindre sympathie envers une fille de mon âge. Dans l'autobus ou dans le métro, quand il m'arrivait d'en croiser une, je la bousculais mine de rien, je lui marchais sur les pieds, je lui tirais les cheveux. À l'école, la semaine dernière, j'avais même renversé mon café brûlant sur celle qui était dans la file derrière moi.

— Je vous en prie, mademoiselle, pourriez-vous retirer la couenne avant de trancher le jambon? a demandé l'homme à la vendeuse.

Sur le visage de la vendeuse s'est peinte une expression maussade sous-tendue d'une impatience exacerbée. Elle a soupiré assez fort pour qu'on l'entende, s'est tournée, a déposé le jambon salé sur la planche à découper près de la trancheuse et a saisi un long couteau pour retirer la couenne. Cette tâche avait l'air pénible, je voyais les muscles de ses bras se contracter. À un certain moment, elle a failli se couper parce que le jambon tout huileux lui a glissé des mains et ses doigts ont frôlé la lame du couteau. «Ouch!» ai-je pensé. Heureusement, elle ne s'est cassé qu'un ongle. Enfin, peu à peu, une petite montagne de graisse croûteuse d'un beige carné s'est formée sur la planche; l'homme, l'air content, s'est mis à jouer nerveusement avec son trousseau de clefs.

Une fois que la pièce de viande lui a paru suffisamment dégarnie, la vendeuse a poussé les morceaux de couenne sur le coin de la planche à découper à l'aide de son couteau, ce qui a formé un petit tas de graisse bien propre. Elle l'a considéré une seconde d'une moue plutôt satisfaite. L'homme a agité ses clefs de nouveau et la vendeuse lui a jeté un regard du coin de l'œil comme si ce bruit l'agaçait. Ensuite, elle a commencé à trancher le prosciutto. L'homme l'observait; sans doute avait-il des yeux de lynx car il n'a pas tardé à lui ordonner:

— Plus mince que ça, mademoiselle!

Pour faire des tranches plus minces, la fille a dû réduire

le jeu des lames de la trancheuse et appuyer encore plus fort sur le prosciutto. L'irritation gravée sur son visage ne faisait que s'amplifier. Elle avait relevé ses longs cheveux bruns en chignon, mais quelques mèches lui retombaient sur le visage si bien qu'elle soufflait sans cesse vers son front afin de le dégager. Elle semblait décidément mécontente d'être derrière ce comptoir bourré de gros jambons et de poitrines de dindes.

Il était évident qu'elle était perdue dans ses pensées, que la pièce de viande qu'elle maniait au-dessus de cette bruyante machine métallique ne faisait qu'aggraver une kyrielle de soucis déjà présents bien avant que surgisse ce client tatillon. En l'examinant plus attentivement, j'ai bien vu que sa mine contrariée et agacée n'était en réalité qu'un air de triste découragement. Comment ne l'avais-je pas remarqué plus tôt? Ça sautait aux yeux : elle pensait à cette histoire qui avait mal fini, à ce garçon dont elle s'était éprise.

Ce garçon, elle l'avait fréquenté plusieurs semaines, plusieurs mois, peu importait, assez longtemps en tout cas pour qu'ils se murmurent à l'oreille de timides « je t'aime » et d'autres mots inoubliables qu'on ne dit pas à n'importe qui. Elle avait éprouvé une passion sans égale pour lui, et lui aussi, du moins c'est ce qu'elle avait cru. Ils avaient même élaboré quelques projets d'avenir ensemble, comme un week-end en tête à tête dans les Cantons de l'Est et un abonnement conjoint à un centre sportif. Mais voilà, dernièrement, le garçon en question lui avait annoncé qu'elle n'était pas faite pour lui, comment dire, qu'elle n'était pas assez indépendante, ou plutôt que c'était lui qui avait besoin de temps pour faire le point parce que, somme toute, il avait rencontré une autre fille. Bref, le garçon avait brisé le cœur de la vendeuse. Depuis, elle rêvait d'étrangler toutes les filles de son âge parce qu'elle n'acceptait pas que l'une d'elles lui ait volé son amoureux, de qui elle disait désormais du mal à tout le monde, mais dont elle attendait toujours secrètement l'appel, en vain, inutile de le spécifier. Après tout cela, il n'était pas surprenant que la vendeuse soit aujourd'hui incapable de sourire à ses clients comme elle était censée le faire : en plus d'être en convalescence sentimentale, elle détestait ce misérable emploi qui bousillait son manucure. Il fallait donc non seulement tolérer, mais lui pardonner son attitude discourtoise.

La vendeuse a éteint la trancheuse et elle nous a fait face pour peser les tranches de prosciutto sur la balance. Dans ses yeux dansait toujours cette sombre morosité.

— Vous allez jeter la couenne qui est sur la planche à découper, mademoiselle ? lui a demandé l'homme.

La vendeuse l'a observé, visiblement irritée de se faire arracher si brusquement à ses rêveries où elle se voyait courir pieds nus jusqu'à l'infini dans un champ de marguerites en tenant par la main celui que, pourtant, elle détestait le plus au monde.

— Mais qu'est-ce que vous voulez que je fasse d'autre avec ça ?

Je me suis immédiatement rangée dans son camp. « Oui, ai-je pensé, n'est-ce pas, monsieur, qu'est-ce que vous voulez qu'elle fasse d'autre avec ça ? Qu'elle la mange, peut-être ? » L'homme s'est mis à jouer de plus belle avec ses clefs.

— Mais c'est un crime de lèse-majesté ! Lorsque je

vivais en France, on faisait toujours revenir un petit canard dans le gras du prosciutto. C'est un vrai délice. Il ne faut pas jeter la couenne!

Comme sa mésaventure amoureuse lui avait totalement fait perdre l'appétit, la vendeuse a accueilli avec indifférence cette révélation gastronomique.

— Ah bon? a-t-elle dit distraitement en enveloppant le prosciutto dans du papier brun.

« Ah bon? N'est-ce pas, monsieur? ai-je songé. Ça nous fait une belle jambe de savoir dans quoi ils les font revenir leurs putains de canards en France! » Le visage de l'homme était tout rouge; il devait souffrir d'hypertension. La vendeuse allait-elle oublier un instant sa souffrance et, dans un geste généreux, offrir la couenne à l'homme? D'après moi, c'était clair qu'il ne le méritait pas, car s'il avait vraiment souhaité se faire revenir un petit canard dans du gras de prosciutto, il n'avait qu'à ne pas jouer au capricieux et qu'à ne pas demander à la vendeuse de retirer la couenne; une fois chez lui, il n'aurait eu qu'à découper lui-même le gras autour de chacune des tranches.

La vendeuse a scellé le petit paquet de charcuterie à l'aide de ruban adhésif et elle a inscrit le prix dessus. L'homme ne lâchait pas des yeux la montagne de graisse toujours en molle suspension sur la planche à découper près de la trancheuse. La vendeuse lui a tendu son paquet:

— Merci, monsieur, et bonne journée, lui a-t-elle dit sans même lui sourire.

— Quoi, vous ne me la donnez pas? lui a demandé l'homme en haussant le ton.

De toute évidence, il était profondément humilié

d'avoir à quêter cette couenne de laquelle il n'avait pourtant pas voulu moins de cinq minutes plus tôt.

— Non, lui a répondu la vendeuse du tac au tac.

Sa réponse ne m'a pas surprise. Avoir le cœur brisé, ça rend las, amorphe ; il était donc normal qu'elle n'ait pas envie de faire le moindre effort supplémentaire, surtout pas pour faire plaisir à ce client qu'elle ne connaissait ni d'Ève ni d'Adam. « Allez ! Monsieur ! ai-je pensé. Dégage ! On ne te la donne pas, la couenne ! » L'homme était stupéfait.

— Ingrate ! C'est du gaspillage ! a-t-il lancé à la vendeuse avant de tourner les talons.

Elle a haussé les épaules en le regardant partir. Qu'est-ce que ça pouvait bien lui faire qu'il l'apostrophe de la sorte ? Rien, évidemment. Elle souffrait tant ces derniers jours qu'elle s'était réfugiée dans sa carapace intérieure, là où rien ni personne ne pouvait l'atteindre.

— Suivant ! a-t-elle crié en posant ses yeux d'un bleu profondément mélancolique sur les miens.

J'ai eu envie d'être douce et gentille avec elle. J'étais prête à oublier tous mes tracas un instant, seulement pour la consoler. Il m'a semblé que nous aurions pu devenir les meilleures copines du monde et aller prendre un verre ensemble au café du coin pour nous raconter nos blessures. Mais comment l'aborder ? Elle n'avait probablement aucune envie de fraterniser avec moi, sans doute me haïssait-elle déjà ; elle devait projeter sur moi l'image de la fille qui s'était sournoisement immiscée dans son couple pour en provoquer la rupture. Je la comprenais de m'en vouloir à cause de ma seule présence devant elle. C'était une réaction des plus naturelles, une question d'instinct, tout simplement. Elle-même n'était-elle pas la première fille avec laquelle j'acceptais d'être solidaire depuis deux semaines ?

Mais je savais désormais que je devais mettre fin à ma chasse aux sorcières. Ne pouvions-nous pas unir nos forces, toutes les deux, pour survivre au naufrage ? Il fallait absolument que nous nous parlions. D'abord, je devais lui signifier que j'approuvais la façon dont elle avait traité cet homme et comment elle avait refusé de lui donner la couenne. Ce serait mon entrée en matière, histoire de lui montrer que je l'appuyais dans ses moindres gestes, que j'étais son alliée.

— Tu as bien fait de ne pas la lui donner, lui ai-je dit en lui souriant avec compassion. Tant pis pour le gas-pillage !

Elle a penché la tête sur le côté d'un air contrarié. J'ai tout de suite eu envie d'ajouter : « Non, tu n'es pas obligée de me sourire, je te comprends. C'est dur, n'est-ce pas, de passer à travers tout cela ? Penses-tu qu'on s'en remettra un de ces jours ? On peut être amies si tu veux, ça nous fera du bien, car si seulement tu savais, nous sommes de la même race de meurtries, toi et moi. »

— Mais non ! m'a-t-elle sèchement répondu comme si je l'avais insultée. Ce n'est pas du gaspillage ! Qu'est-ce que vous avez tous à m'énerver aujourd'hui à cause d'une couenne ! Je suis payée au salaire minimum ici, est-ce que je pourrais au moins garder les retailles sans que tout le monde s'en mêle ? Je vais apporter la couenne au chien de mon chum, est-ce que c'est du gaspillage, ça ?

— Au chien de ton chum ? lui ai-je demandé pour être certaine d'avoir bien entendu.

— Ben oui, au chien de mon chum !

« Ah ! » ai-je pensé en n'y comprenant plus rien.

— Qu'est-ce que tu vas prendre ? a-t-elle fait d'une voix impatiente.

Cette tristesse et cette lassitude blotties dans son regard, c'était donc son air habituel ? Ah ! L'ingrate !

— Je vais prendre une livre de rôti de porc, lui ai-je dit sur un ton autoritaire. Tranche-le mince comme du papier de soie et enlève bien la ficelle tout autour.

Elle a soupiré.

— Est-ce qu'il bouffe aussi de la ficelle, le chien de ton chum ? lui ai-je demandé.

Elle a froncé les sourcils :

— C'est quoi le rapport ?

— Laisse donc faire le rapport.

Je n'allais quand même pas lui raconter ma vie, à cette salope.

La tradition

La première fois, nous avions seize ans. Le père d'Olivier nous avait prêté son sous-sol et Arianne avait tenté de nous cuisiner une dinde, mais cela n'avait pas marché parce qu'elle avait oublié d'en extraire les boyaux. Nous nous étions commandé du poulet et nous avions bien ri. Par la suite, c'est devenu une habitude. Chaque année, au lieu de nous faire des cadeaux, nous nous réunissons tous les cinq quelques jours avant Noël, question de faire la fête entre amis avant de souffrir chacun de son côté d'interminables soupers de famille. Ce soir-là, c'était la huitième année consécutive que nous étions fidèles à notre tradition. Comme nous n'avions plus du tout les mêmes horaires de travail ni d'études, il avait fallu fixer une date qui convenait à chacun. J'avais proposé de faire la réunion chez moi, mais Élisabeth préférait que ce soit chez elle. Je n'avais pas insisté parce que cela m'épargnait de faire le ménage de mon appartement. Élisabeth s'occuperait du plat principal, du pain et du dessert. Elle nous avait chargés du reste.

Il y avait foule au supermarché. J'ai descendu l'allée jusqu'au comptoir des fromages et j'ai pris un numéro. J'ai attendu en jetant un œil sur le présentoir : un brie, un chèvre, un bleu et un oka, cela devait suffire.

— Hé ! Martin ! a crié quelqu'un.

J'ai reconnu la voix de Francis et je me suis retourné.

— Salut ! lui ai-je dit. J'ai essayé de t'appeler plus tôt. Ça va ?

Il s'est approché de moi les mains remplies de paquets de viandes froides. Il avait l'air heureux.

— Quand c'est le party, moi, tu le sais, ça va toujours bien, m'a-t-il répondu. Je viens juste d'acheter le prosciutto et les pâtés qu'Élisabeth m'a demandés. Je suis content de te rencontrer, on va pouvoir marcher ensemble jusque chez elle.

La fille derrière le comptoir a crié mon numéro. J'ai dit à Francis de m'attendre et je suis allé choisir mes fromages.

Le temps était doux pour un 22 décembre. Le sol n'était pas encore recouvert de neige. Francis et moi, nous avons marché lentement vers l'est, rue Mont-Royal. Il m'a raconté sa fin de session, ses examens, ses dernières cuites ; il m'a confié qu'il songeait à s'acheter un chien. Cela m'a surpris.

— Un chien ? Mais qu'est-ce que tu vas faire avec un chien ?

Il a sorti une canne de Noël de la poche de son manteau et m'en a offert la moitié.

— Rien de spécial, mais ça va me faire de la compagnie, m'a-t-il répondu en suçant son bonbon. Ça va m'occuper, me distraire, je ne sais pas. Je veux un chien, c'est tout. J'en ai envie.

— Ah bon, ai-je fait sans insister en croquant des morceaux de sucre.

Ma remarque semblait l'avoir dérangé.

— Pourquoi ? m'a-t-il demandé avec agacement. Tu penses que je ne serai pas capable de m'en occuper ?

Il avait visé juste.

— C'est pas ça, lui ai-je répondu, c'est seulement qu'un chien, c'est exigeant. Il faut que tu te lèves tôt le matin pour aller le promener, qu'il fasse moins trente ou pas, que t'aies brossé ou non la veille. Il ne faut pas que t'oublies de lui acheter de la nourriture, il faut que tu veilles à ses vaccins, il ne faut pas qu'il reste seul trop longtemps, sinon il s'ennuie et devient tout triste, il ne faut pas que tu découches parce qu'il a aussi besoin de sa promenade du soir, il faut…

— C'est beau, là, ça suffit ! J'avais raison, tu crois que je ne serai pas capable de m'en occuper !

Il a sorti une seconde canne de Noël de sa poche et il m'en a de nouveau offert la moitié. J'ai refusé d'un geste de la main parce que je ne voulais pas me couper l'appétit.

— Fâche-toi pas pour ça. Je crois seulement que tu devrais y réfléchir comme il faut si tu t'en achètes un.

Il y avait beaucoup de passants sur le trottoir et les gens avaient des paquets plein les bras. Une fillette qui courait a émergé de je ne sais trop où et elle s'est ruée sur nous. Spontanément, Francis et moi avons laissé tomber nos sacs de provisions par terre pour l'empêcher de glisser, mais nos bras d'inconnus l'ont surprise et elle est partie comme une flèche rejoindre sa mère qui marchait quelques pas en avant et qui n'avait rien vu de la scène. Tandis que nous ramassions nos sacs, la fillette, qui était à présent pendue aux cuisses de sa mère, s'est retournée et nous a jeté un regard mêlé de crainte et de curiosité. Je lui ai fait une grimace et Francis a lancé :

— Peux-tu le croire? Déjà à cet âge-là, elles ont peur de nous!

J'ai expliqué à Francis que l'origine de cette peur était peut-être la littérature pour la jeunesse et tous les affreux personnages masculins qu'on y trouve.

— Prends le Bonhomme Sept-Heures, par exemple. Celui-là, il laisse forcément des séquelles dans leur imaginaire.

Francis m'a objecté qu'il y avait pourtant les princes charmants qui étaient bien gentils et appréciés des filles.

— Franchement, Francis! Est-ce qu'on a l'air de deux princes charmants, toi et moi?

Il m'a dévisagé de la tête aux pieds et il a hoché la tête d'un air résigné.

Deux rues avant celle d'Élisabeth, nous sommes passés devant un petit bar de quartier à l'air interlope. Francis m'a demandé de l'attendre en me laissant son sac de provisions. Il est entré et je l'ai vu arpenter les lieux en jetant des regards autour de lui, la démarche fière comme un vrai gars de la place. Il s'est rendu jusqu'au fond de la salle, près des tables de billard. J'ai essayé de voir ce qu'il tramait, mais l'endroit était trop sombre. J'ai pensé qu'il s'agissait probablement du bar où Francis se tenait ce mois-ci : c'était dans ses habitudes de changer de bar régulièrement parce qu'il trouvait constamment le moyen de coucher avec la barmaid ou la serveuse qui était toujours la blonde du gérant ou du boss. À cause de ses histoires de cul à n'en plus finir, Francis courait sans cesse le risque de se faire casser la gueule ou bien les deux jambes. Par chance pour lui, il savait décamper à temps. Il y a quatre ans, après ma rupture avec Élisabeth, j'accompagnais Francis tous les soirs dans sa tournée des bars ; je pensais que cela m'aiderait à oublier ma peine, mais cela n'avait pas marché. Par la suite, j'ai préféré consacrer toute mon énergie à mes études.

— Okédou, a dit Francis en sortant du bar quelques minutes plus tard.

Je lui ai rendu son sac au moment où nous tournions le coin de la rue d'Élisabeth.

— As-tu l'adresse ? m'a demandé Francis. Ça fait longtemps que je ne suis pas allé chez elle.

Moi aussi, cela faisait longtemps que je n'étais pas allé chez elle, mais je connaissais son adresse par cœur. Parfois, le soir, quand je n'ai rien à faire et que mes bouquins d'économie m'ennuient, je vais marcher dans sa rue pour voir s'il y a de la lumière chez elle. Il n'y en a pas toujours.

— C'est ici, ai-je dit à Francis.

— On fume-tu un joint avant d'entrer ?

La lumière du salon était éteinte, mais on pouvait voir les lueurs multicolores d'un sapin de Noël scintiller à travers le rideau. Élisabeth avait dû l'acheter au cours de la semaine parce qu'il n'y était pas la dernière fois que j'étais venu me promener devant chez elle. J'étais agacé : j'aurais bien aimé savoir qui l'avait aidée à transporter cet arbre et à lui faire gravir les marches jusqu'au deuxième étage.

— Alors c'est oui ou c'est non, Martin ? On le fume-tu, ce petit joint-là ?

Le joint était déjà roulé, coincé entre deux cigarettes de son paquet de Player's Light.

— Ouais, allume-le.

Francis m'a passé le joint et j'ai tiré dessus. Il me parlait tandis qu'il retenait encore la fumée dans ses poumons et sa voix sonnait creux comme un fond de tonneau. Quand nous avons écrasé le joint, nous avons vu Olivier et Arianne tourner le coin de la rue et nous avons décidé de les attendre avant de monter chez Élisabeth. Ils s'étaient occupés du vin parce qu'on entendait le bruit des bouteilles qui se heurtaient.

Nous avons fait la bise à Arianne et nous avons serré la main à Olivier. Ensuite, nous avons monté les escaliers. J'ai remarqué qu'ils étaient vraiment très à pic ; on avait dû hisser le sapin par les escaliers de secours qui donnent sur la ruelle. Francis s'est mis à chanter *Jingle Bells* à tue-tête. Élisabeth a ouvert la porte et mes genoux ont faibli. C'est toujours ainsi les cinq premières secondes que je la vois. Ensuite, je m'efforce de reprendre le dessus.

Tout le monde a crié « Joyeux Noël ! » et nous avons fait la bise à Élisabeth chacun notre tour. Ses joues étaient toutes chaudes.

— Qu'est-ce que tu nous as préparé, la grande ? lui a demandé Francis tandis que nous enlevions nos manteaux. Ça sent bon en sacrament chez vous.

Élisabeth a annoncé qu'elle avait cuisiné un filet de saumon et un gratin de pommes de terre à la sauce béchamel. Elle nous a dit de faire comme chez nous pendant qu'elle finirait de préparer le repas. Elle a pris nos sacs avec le vin, le fromage et les viandes froides et elle a regagné la cuisine. Je lui ai demandé si elle avait besoin d'aide. Elle m'a dit non. Olivier, Arianne, Francis et moi sommes allés dans le salon. Personne n'a voulu allumer de lampe pour ne pas nuire à l'atmosphère de fête créée par l'éclairage du sapin. Vu de près, ce sapin était encore plus énorme que je ne l'avais imaginé au départ. Il ne me semblait pas en avoir déjà vu d'aussi dru et j'ai senti une certaine frustration me gagner.

— T'as-tu de la bière, la grande ? a crié Francis.

Élisabeth lui a dit que oui. Je n'étais pas encore assis que je me suis précipité pour aller en chercher.

— Quatre bières ? ai-je demandé aux autres.

— Trois, a dit Arianne. Moi, je vais attendre le vin avec le repas.

— T'es trop sage, lui a dit Francis. Lâche-toi donc lousse un peu, c'est notre party de Noël.

Arianne n'a rien dit. Tandis que je quittais le salon, j'ai entendu Francis insister auprès d'Olivier : « Elle se lâche jamais lousse, ta blonde ? », mais je n'ai pas compris la suite de la discussion.

Élisabeth, penchée au-dessus du filet de saumon qu'elle avait fait cuire au four dans une assiette d'aluminium, en vérifiait la cuisson à l'aide d'une fourchette. Elle avait remonté ses cheveux avec une large barrette. J'ai toussoté pour lui signaler ma présence. Elle a tourné la tête :

— Ah ! C'est toi. Tu viens chercher la bière ? Elle est sur le balcon.

— Tu en veux une aussi ?

Elle a accepté ; j'ai ouvert la porte du balcon et j'ai pris quatre bières. Quand je suis revenu près d'elle, j'en ai déposé une sur le comptoir après l'avoir décapsulée.

— Merci, m'a-t-elle dit avant d'en prendre une gorgée.

Elle a remis le plat de saumon au four tout en jetant un œil sur le gratin. Elle a ajusté la minuterie à quinze minutes, puis elle s'est retournée vers moi. Elle portait une longue robe brune dans laquelle je ne l'avais jamais vue auparavant. J'étais incapable de détacher mon regard d'elle.

— Qu'est-ce qu'il y a? m'a-t-elle demandé.

— Cette robe te va comme un gant.

— Je sais.

— Mais l'étiquette dépasse du col. Et le petit papier rose du nettoyeur est encore agrafé dessus.

Elle a porté la main à sa nuque. Comme elle n'arrivait pas à retirer le bout de carton toute seule, elle m'a demandé de l'aider.

— Il est tellement *cheap*, ce nettoyeur-là, a-t-elle ajouté. Il utilise son agrafeuse au lieu de prendre des petites épingles.

Moi, je n'avais rien contre les pratiques économes de ce nettoyeur. J'ai déposé les trois bières sur le comptoir et je me suis affairé derrière Élisabeth. J'ai délicatement extirpé les deux agrafes et replacé l'étiquette à l'intérieur de l'encolure. Élisabeth a fait:

— Pouah! T'as les mains froides!

J'ai jeté le petit papier rose dans la poubelle.

— C'est à cause de la bière.

— Quoi?

Elle n'avait pas compris parce qu'elle venait d'ouvrir le robinet.

— Rien, laisse faire. À part ça, quoi de neuf?

Quelques gouttes d'eau avaient éclaboussé sa robe. Elle m'a tourné le dos et elle s'est mise à farfouiller dans les sacs de provisions qu'on lui avait apportés.

— Pas grand-chose, m'a-t-elle répondu. La routine.

Elle a sorti les fromages et elle les a déballés pour les disposer dans une assiette ronde.

— C'est un beau gros sapin que tu as dans ton salon. Est-ce que la livraison était incluse dans le prix?

— Non, je suis allée le couper moi-même dans la forêt. As-tu une cigarette?

Je me suis approché d'elle. J'ai sorti mon paquet de Du Maurier de la poche de ma chemise. Elle a pris la cigarette entre ses lèvres et je la lui ai allumée. Elle a soufflé la fumée et a dit:

— T'as fait un bon choix de fromages, mais tu aurais pu en acheter quatre au lieu de trois seulement.

Je me suis penché au-dessus de l'assiette. Il y avait l'oka, le chèvre et le brie, mais le cambozola n'y était pas. Le sac était vide, à plat sur le comptoir. Je me suis souvenu de la fillette dans la rue un peu plus tôt et de nos sacs que Francis et moi avions laissés tomber. Le cambozola avait dû glisser par terre.

— Je te jure que j'en avais acheté quatre, ai-je dit à Éli-sabeth. Mais il y a une gamine qui…

— Veux-tu me faire croire que tu as croisé Oliver Twist déguisé en petite fille? m'a-t-elle interrompu d'un ton sarcastique.

Pourquoi cherchait-elle à me contrarier de la sorte?

— C'est ça, c'était Oliver Twist en transsexuel, lui ai-je répondu. Nous avons croisé Oliver Twist sur la rue Mont-Royal. On ne sera jamais assez prudent. Tout le monde ne peut pas être chanceux comme toi et rencontrer Robin des Bois.

Élisabeth pelait des poires.

— Robin des Bois ? a-t-elle fait sans comprendre où je voulais en venir.

— Oui, Robin des Bois. Robin des Bois qui nous accompagne dans la forêt pour couper un sapin.

— Bouge de là, s'il te plaît, je dois préparer l'entrée.

J'ai quitté la cuisine avec mes trois bières à la main et, pour la millième fois de ma vie, je me suis dit : « Oublie-la. »

— Toi qui travailles dans une banque, veux-tu bien me dire pourquoi ma caisse ne veut pas m'accorder une carte de crédit ? demandait Francis à Arianne.

J'ai distribué les bières. Francis a levé sa bouteille en criant « tchin-tchin ». Olivier et moi avons choqué la nôtre contre la sienne, puis il a reposé sa question à Arianne. Je me suis assis par terre à côté de lui. J'ai approché le cendrier et je me suis allumé une cigarette.

— Je ne sais pas, tu ne dois pas avoir un très bon dossier bancaire, a dit Arianne.

Francis a pris une longue gorgée de bière puis il a dit :

— Mais pourtant, mon père verse mille tomates dans mon compte tous les premiers du mois.

J'ai jeté un œil aux cadeaux sous l'arbre de Noël. Il y avait quatre boîtes emballées dans le même papier rouge et or. J'ai pensé que trois d'entre elles étaient destinées à sa famille, une à son père, une à sa mère et une à son petit frère, mais la quatrième était très certainement une intruse dans le lot : à qui Élisabeth pouvait-elle bien l'offrir ?

— Mais c'est pas un revenu stable, ça, a répondu Arianne. Et puis tu dois les épuiser vite, tes mille tomates, et toujours te retrouver à zéro à la fin du mois. Pour qu'une banque ou Visa te fasse crédit, il faut que ton compte se maintienne toujours dans les quatre chiffres, bon an mal an. Et puis t'es juste un étudiant, et pour te dire franchement, on s'en fiche pas mal de toi. Du moins, nous, à ma banque, quand on fait un prêt, on préfère les gens qui sont établis, qui ont une maison, une voiture, tu comprends?

Francis a secoué la tête, l'air de dire qu'il comprenait mais qu'il n'était pas trop d'accord avec tous ces principes. Arianne a ajouté :

— De toute manière, t'es pas écœuré de l'école? Ça fait trois bacs que tu fais! C'est bien beau l'histoire, la socio et la politique, mais pourquoi tu ne travailles pas, ou bien pourquoi tu ne te décides pas à faire une maîtrise, comme Martin et Élisabeth? Des bacs, ça vaut pas d'la schnout. Même si t'en accumules quarante, ça veut rien dire, c'est comme si tu stagnais à ce niveau-là et puis que t'étais pas capable de passer à autre chose.

Je me suis étiré le cou pour lire les étiquettes qu'Élisabeth avait collées sur les cadeaux, mais Arianne m'a observé du coin de l'œil comme si elle se demandait ce que je faisais. J'ai pris une gorgée de bière et je me suis massé le cou en simulant un léger torticolis. « C'est sûrement pour son grand-père », ai-je pensé.

— Au contraire, je trouve ça super qu'il fasse plusieurs bacs, a dit Olivier. Francis est quinze fois plus polyvalent que la moitié des gens. Sauf les ordinateurs, moi, je ne connais rien.

Par terre, il y avait une pile de bouquins d'histoire de l'art. J'en ai pris un au hasard et je l'ai feuilleté. Parfois, je tombais sur une fiche où Élisabeth avait gribouillé quelques notes : « le clair-obscur chez Rembrandt », « la femme nue chez Rembrandt », « l'autoportrait chez Rembrandt ». Distraitement, je les ai lues puis je les ai remises exactement là où je les avais trouvées.

— Personnellement, continuait Olivier, je crois que je regrette de ne pas être allé à l'université.

J'ai remis le livre par terre près de moi et j'ai tourné la tête vers la salle à manger. Dans la pénombre, Élisabeth dressait la table. Elle faisait cela tranquillement, en souriant, et je me suis demandé à quoi elle pouvait bien penser.

— Pfft! a soufflé Arianne. Si t'étais allé à l'université, Olivier, on n'en serait pas rendus là où on en est aujourd'hui. On se ferait chier comme des crève-faim avec des prêts et bourses. Et puis tu serais comme Francis, tu ne pourrais même pas avoir de carte de crédit! On ferait pas mal dur.

Francis a vidé sa bière d'un seul trait.

— T'es ben méprisante, a-t-il dit à Arianne. Est-ce que j'en arrache tant que ça parce que j'ai pas de carte de crédit? À ce que je sache, t'es rien qu'une petite caissière qui étampe des chèques à longueur de journée. Tu fais encore plus dur que moi.

Arianne s'est levée, vexée :

— Ta gueule, Francis Lavallée! lui a-t-elle lancé avant d'aller aider Élisabeth à mettre la table.

— Paquet de nerfs, ta blonde, a dit Francis à Olivier. Mais je pensais à ça, le grand : toi qui travailles dans les ordinateurs, vas-tu pouvoir me faire un prix si j'en achète un chez vous?

— Tu veux t'acheter un ordinateur? lui a demandé Olivier.

— Je suis pas encore décidé, un chien ou un ordinateur.

— Un chien? Tu veux t'acheter un chien?

— Ben quoi? a dit Francis. Pourquoi pas?

— Un chien, Francis, il faut s'en occuper, lui a répondu Olivier. C'est comme un enfant, un chien. Tu ne pourras plus rentrer chez toi à cinq heures du matin, tu ne pourras plus…

Je les ai laissés seuls et je suis allé aux toilettes. J'étais en train de pisser quand Élisabeth a crié : « À table, tout le monde! » Je me suis dépêché mais j'ai quand même pris le temps d'ouvrir l'armoire à pharmacie. Comme chaque fois, j'ai eu peur de ne pas y trouver une fiole de parfum bleue avec une inscription blanche dessus. Je me dis que le jour où Élisabeth changera de parfum, je sentirai la rupture encore plus définitive entre nous deux. Heureusement, le flacon qui s'y trouvait était bel et bien identique à celui que je lui avais offert pour ses dix-huit ans. Depuis le temps, je me demande combien de ces fioles se sont déversées sur son corps, et aussi, dans un tout autre ordre d'idées, combien de garçons ont respiré *mon* parfum. J'ai dévissé le bouchon et j'ai tenu le flacon sous mon nez. J'aurais pu l'y laisser pendant une heure, mais j'ai entendu Francis crier : « Martin, qu'est-ce que tu fais? On mange! » et cela a suffi pour me ramener à la réalité. Avant de refermer l'armoire à pharmacie, j'ai examiné le contenu de la boîte de condoms qui s'y trouvait. C'était une boîte de douze, il n'en restait que sept ; j'en ai volé deux. « Deux baises de moins pour Élisabeth », ai-je pensé en tirant la chasse.

L'entrée de poires au prosciutto qu'avait préparée Élisabeth a été engloutie en quelques instants. Nous avions tous très faim, alors personne n'a dit grand-chose à part : « C'est bon ! » Olivier a aidé Élisabeth à ramasser les petites assiettes et Francis a rempli nos verres. Pour blaguer, il n'a rempli celui d'Arianne qu'au quart.

— Tu me cherches, lui a dit Arianne.

Francis a ri puis il a finalement rempli le verre d'Arianne jusqu'à un millimètre du bord. Une seule goutte de plus et il débordait.

— Crisse, a dit Arianne.

— T'énerve pas, c'est juste une blague, a répondu Francis. Donne-moi ton verre, je vais le boire si tu veux. Tiens, prends le mien en échange.

Francis a étiré son bras pour mettre sa suggestion à exécution, mais Arianne a posé une main sur son verre.

— Touche pas, lui a-t-elle ordonné. Maudit baveux !

Francis s'est reculé sur sa chaise et il a haussé les épaules. Arianne a porté son verre à ses lèvres puis elle l'a vidé d'un seul trait.

— Oh ! Wow ! avons-nous lâché en chœur, Francis et moi.

Olivier, qui revenait de la cuisine avec le plat de saumon, a aperçu un bout de la scène. Il a regardé sa blonde et lui a demandé ce qui lui prenait. Elle a voulu lui répondre mais elle a été secouée par un hoquet.

— Arianne se lâche lousse, a annoncé Francis.

Arianne a pris une grande respiration et, entre deux soubresauts, elle a dit :

— Oui, ce soir, je me lâche lousse, chéri. C'est Francis qui l'aura voulu, il pense que je suis juste une têteuse incapable de faire le party.

— Ah ! bon ! a dit Olivier. C'est comme il te plaît, chérie ; lâche-toi lousse si tu le veux. Après tout, on est en vacances. C'est Noël.

« Noël, Noël », a fredonné Francis. Élisabeth est venue s'asseoir à table en apportant un bol rempli de quartiers de citron et le gratin de pommes de terre. Elle a pris une gorgée de vin et elle a voulu nous servir, mais Francis s'est levé et lui a offert de le faire à sa place. Il a dit :

— La grande, t'as popoté pour nous toute la journée. Maintenant, assieds-toi, je me charge du service.

— Merci, lui a dit Élisabeth en lui tendant le couteau et la spatule.

À tout bout de champ durant le repas, Arianne se servait des rasades de vin et, quand elle y pensait, elle remplissait aussi nos verres. À un certain moment, Olivier s'est presque étouffé avec une bouchée de saumon. Il s'est écrié :

— Merde ! Vous ne savez pas ce qu'on a oublié ?

Nous nous sommes tous consultés du regard, incertains.

— On a oublié de faire un toast !

— Il n'est pas trop tard pour se rattraper, a fait observer Arianne.

Nous avons tous levé nos verres en criant : « Tchin-tchin ! Joyeux Noël ! » J'ai regardé Élisabeth et je lui ai souri, mais elle ne m'a pas vu ; elle semblait être dans la lune. Avant que chacun porte son verre à ses lèvres, Francis a demandé à quoi on buvait.

— À Noël, crisse d'épais, lui a dit Arianne.

Francis lui a jeté un regard empreint de mépris et il a dit :

— On n'a jamais fait ça avant, se contenter d'un « Tchin-tchin ! Joyeux Noël ! » Fuck ! Dans quarante-huit heures, je vais être assis dans un grand restaurant avec mon père, et quand il va lever son verre, il va dire exactement ce qu'on vient de dire, un maudit « Tchin-tchin ! Joyeux Noël ! » Alors, maintenant qu'on est ensemble, entre nous, j'aimerais qu'on fasse un toast un peu plus long que celui que mon père et moi, on va faire dans deux jours.

Les flammes des bougies éclairaient le visage de Francis dont les traits étaient tendus. Mal à l'aise, nous avons détourné les yeux. Quand Francis s'énerve et commence à parler de son père sur un ton semblable, nous sommes toujours profondément désolés pour lui, même si nous ne savons pas trop pourquoi. Finalement, c'est Arianne qui a pris la parole :

— Je m'excuse, Francis.

Elle s'est levée, chancelante, puis elle a lancé :

— À notre tradition qui va durer encore plusieurs années, je l'espère. À nous tous, qui sommes amis depuis… je ne sais plus combien de temps, mais longtemps !

Francis a spécifié :

— Ça fait dix ans. C'est vers la fin de notre secondaire 3 qu'on est vraiment devenus des amis proches, pendant la semaine de canot-camping, je m'en souviens bien.

Nous avons tous levé nos verres et avons dit : « Tchin-tchin ! À notre amitié et à notre tradition de Noël. »

— Je préfère ça, a déclaré Francis d'un ton solennel pendant que nous nous rassoyions.

Il a voulu ajouter quelque chose mais Arianne a été secouée par un nouveau hoquet.

— Faites-moi peur, quelqu'un, faites-moi peur ! a-t-elle imploré.

Francis lui a immédiatement rendu ce service. Il lui a raconté l'histoire d'un hold-up sanglant qui s'était passé dans une banque de la métropole il y avait une dizaine d'années. Le père de Francis est policier, et c'est lui qui avait découvert les corps des huit caissières ligotées et égorgées dans le coffre-fort.

— Crisse, c'est pas drôle, lui a dit Arianne.

Francis a haussé les épaules :

— Non, mais c'est épeurant en titi.

Arianne n'a pas insisté ; son hoquet avait disparu.

J'ai passé un chiffon sur la table avant d'y déposer l'assiette de fromages et les pâtés. Arianne était tout à fait soûle ; elle riait pour des riens en dansant au beau milieu de la salle à manger. Nous avons tous repris place à table. J'ai voulu dire à Francis qu'il était chanceux de ne pas avoir perdu son prosciutto ou ses pâtés à cause de la gamine de la rue Mont-Royal, mais il venait de sortir son sac de mari et Arianne s'est énervée.

— Oh ! Ce soir, je veux réessayer ça, a-t-elle dit. Ça doit faire six ans que je n'ai pas fumé un joint.

— Il n'en est pas question, a dit Francis. Tu vas

tomber dans les pommes tellement ça fait longtemps que t'as pas goûté à ça.

Arianne a fait le tour de la table et elle est allée s'asseoir sur les genoux de Francis. Elle l'a supplié :

— Oh ! Allez ! Tu ne peux pas me refuser ça.

Olivier regardait sa blonde d'un air incrédule. Elle s'est pendue au cou de Francis et a dit en riant :

— Te souviens-tu quand on s'est *frenchés* au party de Fanny Jobin en secondaire 2 ?

— Et comment si je m'en souviens ! a répondu Francis en nous adressant un clin d'œil par-dessus l'épaule d'Arianne. T'avais la bouche en cul-de-poule, pis t'avais de la misère à sortir ta langue.

— Oh oui ? lui a-t-elle demandé.

— Je te le jure, lui a dit Francis.

J'ai regardé Olivier ; il se tartinait à présent un morceau de pain avec du pâté de foie au poivre rose.

— En tout cas, je m'en fiche, a dit Arianne. Moi, je trippais sur toi dans ce temps-là, pis j'étais ben contente de t'avoir *frenché*. Toi, tu voulais rien savoir de moi. Tu m'avais laissée sécher dans le salon en me disant que tu reviendrais avec un bol de chips pis du pepsi, mais t'étais allé tripoter Karine Faillon dans la salle de bains. Maudit beau crosseur ! Déjà à treize ans tu couraillais à droite et à gauche ! T'as pas changé, hein ?

— Arrête, Arianne, lui a dit Élisabeth.

Arianne s'est levée. Elle avait l'air tout étourdie. Elle est retournée s'asseoir à sa place.

— C'est Francis qui voulait que je me lâche lousse à soir, a-t-elle rétorqué, alors tant pis pour lui. À part ça, c'est lui qui se vante toujours des histoires de cul qu'il a eues avec des filles de bar ; c'est la première fois ce soir qu'il n'en raconte pas au moins une. Qu'est-ce qui se passe, Francis ? As-tu viré fif ? Paraît que c'est très commun chez les gars comme toi, ils fourrent un million de filles dans leur vie avant de réaliser que tout ce qu'ils souhaiteraient vraiment, c'est un gars.

— Tais-toi, Arianne, lui a dit Élisabeth. Tu exagères.

Francis a secoué la tête et il a allumé le joint qu'il venait de rouler. Nous avons tous tiré dessus, sauf Arianne qui avait finalement changé d'idée et qui n'en voulait plus parce qu'elle disait avoir mal au cœur. Après avoir écrasé le joint, Francis a coupé un morceau d'oka et il a penché la tête sous la table.

— Tsst ! Tsst ! Boubou ! Boubou ! Viens ici, s'est-il mis à crier. Tsst ! Tsst ! Boubou ! Boubou ! Sors de ta cachette, viens voir mononcle, il a un cadeau pour toi.

Il s'est tourné vers Élisabeth et il a ajouté :

— On n'a pas vu Boubou de la soirée. Il s'est encore caché en dessous d'un meuble parce qu'il a peur de la visite ?

Arianne s'est mise de la partie. Elle faisait :

— Tss ! Tss ! Boulou ! Boulou !

Élisabeth a mis ses deux mains sur ses oreilles pour ne plus les entendre et elle a dit :

— Taisez-vous ! J'ai perdu Boubou, ça fait trois nuits qu'il n'est pas rentré. Alors arrêtez de l'appeler, il ne viendra pas.

Élisabeth a enlevé ses mains de ses oreilles.

— Faites pas cette face-là, nous a-t-elle dit, c'est juste un chat, je vais m'en remettre, je vais m'en acheter un autre. Mais Boubou, je l'aimais vraiment beaucoup. Je m'étais habituée à lui.

J'aurais dû me tenir tranquille, mais pourquoi seule Arianne avait-elle le droit de se lâcher lousse et de régler ses comptes avec Francis? Moi aussi, je voulais me laisser aller.

— De toute façon, ai-je dit à Élisabeth, ça faisait juste deux ans que tu avais Boubou. Si tu l'avais eu deux ou trois ans encore, tu te serais écœurée de lui comme tu t'es écœurée de moi après quatre ans, tu te rappelles : « Martin, je t'aime bien, mais je ne sais plus si j'ai encore le goût que tu sois mon chum, il faut que je vive autre chose. Ça fait tellement longtemps qu'on est ensemble » ? T'en souviens-tu de celle-là, ma belle? Ton Boubou, il a bien fait de te quitter avant que tu l'amènes à la SPCA pour le faire euthanasier. J'aurais dû me sauver de toi, moi aussi. Peut-être que t'aurais eu de la peine pis que tu m'aurais cherché comme tu dois chercher ton chat maintenant. Mais non! J'ai été trop cave!

Arianne, Olivier et Francis ont tous regardé Élisabeth du coin de l'œil pour voir sa réaction. Elle s'est coupé un bout de fromage et elle m'a dit d'un ton tout à fait détaché, même pas en colère, en se fourrant le morceau de chèvre dans la bouche :

— Vas-tu avaler la pilule un de ces jours, Martin, ou vas-tu me chier ton cœur à perpétuité chaque fois que t'as un verre dans le nez?

Comment pouvait-elle être si indifférente?

Pour changer de sujet, Francis a dit :

— Élisabeth, je pense que tu devrais t'acheter un chien. Moi, c'est ce que je vais faire. Un chien, je suis certain que ça tient davantage compagnie qu'un chat.

J'ai tenté d'accrocher le regard d'Élisabeth, mais elle

jouait à présent avec un bout de pain dans son assiette dont elle ne levait pas les yeux. Arianne a éclaté de rire, elle a crié :

— Francis Lavallée, toi, tu veux un chien ? T'es fou, tu pourras jamais t'en occuper comme du monde, t'es toujours parti sur la go. Moi, je te demanderais même pas de garder mes poissons rouges si j'en avais. Un chien ! Francis Lavallée avec un chien ! Non mais je rêve ou quoi ? Je rêve !

Francis n'a rien dit, il a pris une gorgée de vin en déposant le morceau d'oka qu'il tenait toujours entre les doigts sur le coin de son assiette. Moi, avec ce qu'Élisabeth venait de me dire, j'ai pensé que si ce souper était un rêve, c'était un vrai cauchemar.

— Il y a une bûche de Noël au frigo si vous voulez, a annoncé Élisabeth. Personnellement, je n'ai plus faim, mais si vous en voulez, ne vous gênez pas.

Francis s'est levé après avoir senti ses doigts :

— Il pue vraiment les petits pieds, ce fromage-là. Je vais aller me laver les mains.

Et il est parti aux toilettes. Arianne était maintenant à moitié couchée sur Olivier :

— Du fromage qui pue les petits pieds, a-t-elle répété une dizaine de fois.

— Je pense que ma blonde flotte sur un nuage, nous a dit Olivier.

Il était à peu près temps qu'il s'en rende compte. Le téléphone a sonné et Élisabeth est allée décrocher dans sa chambre alors qu'elle aurait pu le faire dans la cuisine. Ça m'a énervé : qui est-ce qui pouvait bien l'appeler à onze heures du soir ? Arianne s'est dégagée d'Olivier et elle s'est levée toute titubante.

— Qu'est-ce que t'as ? lui a demandé Olivier.

— Je pense que je vais être malade, a-t-elle dit en se traînant péniblement vers les toilettes.

Elle a ouvert la porte sans frapper. On l'a entendue crier :

— Francis ! Arrête, Francis, mais qu'est-ce que tu fais là ? T'es fou ? Fais pas ça !

Olivier et moi nous sommes levés d'un seul bond pour aller voir ce qu'il y avait. Francis était penché au-dessus du lavabo et il n'osait pas lever la tête pour nous regarder. Il était figé sur place. Devant lui, il y avait une ligne de coke à moitié sniffée. Arianne a mollement secoué la tête et elle s'est précipitée vers les toilettes pour aller vomir, mais elle a oublié de soulever le couvercle et elle a vomi dessus. Moi, je regardais Francis, mais je ne savais pas quoi lui dire. À l'époque, quand j'allais avec lui dans tous ces bars scabreux, on se défonçait ensemble, mais jamais l'un sans l'autre. Pourquoi ne m'avait-il pas invité à être de la partie ce soir ? Olivier ne savait pas où regarder, ses yeux oscillaient entre Francis, sa blonde, la ligne de coke et le vomi qui coulait jusque par terre. Il s'est contenté de hocher la tête et il a dit « maudit câlisse ! ». Au même moment, Élisabeth est arrivée derrière nous.

— Mais qu'est-ce qui se passe ici ?

Personne ne lui a répondu, mais elle a vite tout deviné parce qu'elle n'a pas pu retenir un « fuck ! ». Arianne était couchée par terre à côté de la cuvette, le vomi avait coulé sur elle aussi. Francis s'est relevé ; incapable de nous regarder dans les yeux, il a simplement dit :

— Je pense que je vais y aller, je me sens trop trou de cul.

On l'a laissé passer, il a pris son manteau accroché à la

patère près de la porte d'entrée. Élisabeth l'a suivi, a essayé de le convaincre de rester, mais Francis n'a rien voulu entendre; il fixait ses pieds et il est parti en claquant la porte. Olivier est entré dans la salle de bains et a ramassé sa blonde. Moi, je suis resté là comme un con à ne pas savoir quoi faire.

— Veux-tu nous appeler un taxi, Martin? Je pense qu'on va y aller, m'a dit Olivier qui passait un linge d'eau froide sur le visage d'Arianne.

Élisabeth était allée chercher des chiffons dans la salle de lavage et une bouteille de Monsieur Net pour nettoyer la flaque de vomi.

Je suis entré dans la cuisine et j'ai pris le téléphone. Il n'y avait pas de tonalité. J'ai dit:

— Allô? Allô?

— Euh… j'attendais qu'Élisabeth reprenne la ligne, a dit une voix de garçon. Elle m'a demandé d'attendre un instant parce qu'elle a entendu des cris chez elle.

Je suis demeuré bouche bée.

— Il n'est rien arrivé de grave, j'espère? a-t-il dit d'une voix inquiète.

Il avait l'air sympathique, mais il ne me plaisait pas pour autant.

— Non, non, rien de grave. Mais il faudrait que j'appelle un taxi. Est-ce qu'elle peut te rappeler? C'est qui?

— Y'a pas de problème, m'a-t-il répondu. C'est Jean-Sébastien. Toi, t'es qui?

— Moi, c'est Martin.

À l'autre bout du fil, il n'a plus rien dit. Peut-être qu'Élisabeth lui avait déjà parlé de moi, de nous deux, je ne sais pas, je ne voulais pas le savoir. J'ai raccroché et j'ai

appelé le taxi. Pendant que je donnais l'adresse à la téléphoniste, Élisabeth a repris le téléphone dans sa chambre
et elle a dit :

— Jean-Sébastien, je m'excuse, c'est le bordel total
chez moi.

— Pardon ? a dit la téléphoniste. Le bordel ?

— Allô ? Allô ? a dit Élisabeth.

J'avais une grosse boule de coincée dans la gorge. J'ai
dit à Élisabeth de raccrocher et j'ai de nouveau dicté son
adresse à la téléphoniste qui n'avait pas l'air de comprendre ce qui se passait. Avant de raccrocher, la téléphoniste m'a dit :

— Vous avez commencé à fêter Noël un peu en
avance, vous, là ?

J'ai déposé le combiné. Je ne me sentais pas comme
quelqu'un qui était en train de fêter quoi que ce soit.

J'ai enfilé mon manteau et j'ai aidé Olivier à aider sa
blonde à descendre les marches. Arianne était presque dans
le coma, le chauffeur de taxi ne voulait pas les prendre
parce qu'il avait peur qu'elle soit malade dans son auto,
mais on avait déjà assis Arianne sur la banquette arrière et
elle ne voulait rien entendre. Elle s'est mise à pleurer et j'ai
demandé à Olivier ce qu'elle avait. Il a haussé les épaules.

— Pour Francis, penses-tu que c'est grave ?

Je lui ai confié que je n'en avais pas la moindre idée.

— En tout cas, bonne fin de soirée, m'a dit Olivier. On
s'appelle.

J'ai fait des « bye-bye » au taxi qui s'éloignait. À travers
la vitre arrière de la voiture, j'ai vu Arianne se jeter dans les
bras d'Olivier.

Je me suis retourné. Élisabeth était sur son balcon et

elle grelottait dans sa robe. Derrière elle, son gros sapin de Noël brillait de ses mille lumières.

— Veux-tu monter boire un café ? m'a-t-elle offert.

— Non.

J'étais furieux contre elle et je suis parti.

Il avait commencé à neiger. J'ai tourné le coin de la rue Mont-Royal et j'ai marché vers l'ouest. Devant la vitrine du bar où j'avais attendu Francis plus tôt, j'ai vu un homme affalé de tout son long. J'ai pensé qu'il y en avait dans la vie qui étaient encore plus mal amanchés que moi. Pourtant, ça ne m'a consolé de rien. C'est seulement lorsque je suis passé près de lui que je l'ai reconnu : c'était Francis. Il était couché sur le ventre et ne bougeait pas. Je me suis approché de lui et je l'ai retourné sur le dos. Son corps était tout mou, tout flasque. « Francis, qu'est-ce que tu fais là encore ? » lui ai-je demandé.

— Je l'aimais pour vrai, celle-là, Martin, je te le jure que je l'aimais, a-t-il gémi en se tenant les côtes.

Il saignait du nez et avait un œil au beurre noir.

— Tu t'es fait ramasser pas à peu près, lui ai-je dit.

J'ai voulu l'aider à se mettre debout, mais il était avachi comme une marionnette de chiffon et il est retombé par terre. Cela m'a fait rire.

— Viarge ! Arrête de rire, m'a dit Francis. Tu penses que je suis pas capable d'aimer une fille ? Les chiens et les filles, tu penses que je suis trop irresponsable pour ça ! Toi tu as aimé Élisabeth, Olivier il aime Arianne, vous avez tous eu vos histoires d'amour, mais moi je peux juste avoir des histoires de cul et rien de plus. Vous pensez tous ça de moi, je le sais.

Il est parvenu à se mettre sur ses deux jambes et il s'est adossé à la vitrine du bar. J'ai essayé de le calmer et je l'ai invité chez moi. Je lui ai dit que nous désinfecterions ses plaies et qu'ensuite nous nous amuserions toute la nuit avec mes vieux jeux vidéo, exactement comme nous le faisions dans le bon vieux temps, lorsque Élisabeth partait à son chalet la fin de semaine et qu'il se pointait chez moi avec une caisse de vingt-quatre dans les bras pour me tenir compagnie. Francis m'a demandé où j'avais la tête :

— Penses-tu que j'ai le goût de jouer à Pac-Man après ce qui vient de m'arriver ? Je vais aller lui casser la gueule à ce gars-là. Je l'aime, cette fille, tu comprends pas ? m'a-t-il crié les larmes aux yeux.

Francis a boité jusqu'à la porte du bar en sacrant et il a disparu. J'aurais voulu le suivre à l'intérieur, mais j'ai préféré l'attendre dehors. Après quinze minutes, comme il n'était toujours pas ressorti, j'ai continué mon chemin. Un peu plus loin, j'ai vu mon morceau de fromage tout écrabouillé sur le trottoir et ça ne m'a même pas dérangé.

Les gens fidèles ne font pas
les nouvelles

Quand je suis revenue du marché, Léo avait fini de poser la grosse toile noire sur la piscine. Je l'ai observé à travers la fenêtre de la porte vitrée. Il avait son pantalon gris en coton ouaté, sa large chemise rouge à carreaux, et il portait une casquette bleue qui cachait mal ses cheveux blancs. L'air évasif, il regardait une volée d'oiseaux migrateurs qui fendait le ciel au-dessus de notre cour. J'ai fait glisser la porte :

— Ohé, Léo ! Je suis de retour ! lui ai-je crié.

Il a continué d'observer le ciel. Quand la volée d'oiseaux a disparu, il a regardé vers la maison. Il m'a aperçue ; il a posé une main sur sa tête et l'autre sur ses reins :

— L'été est fini pour de vrai, m'a-t-il annoncé. Les oiseaux s'en vont dans le Sud. Viens-tu peler tes pommes dehors ? Ça va te faire du bien.

J'ai pensé que ce n'était pas une mauvaise idée que de profiter des rayons du soleil encore un peu chauds que nous offrait ce mois de septembre ; c'étaient peut-être les derniers. Je n'avais pas encore retiré ma veste de laine. J'ai pris le gros sac de pommes bien rouges que j'avais acheté

chez le marchand de fruits et légumes, mon couteau-
éplucheur ainsi que deux gros plats, un pour mettre les
pelures et l'autre pour mettre les pommes. J'ai crié à Léo
que je venais le rejoindre. Il s'était déjà assis à la table de
pique-nique.

— As-tu pensé à acheter le journal ? m'a-t-il demandé.

Je le lui ai apporté. Quand je suis arrivée près de lui, il
me l'a pris des mains en même temps que les deux plats,
puis il a tout posé sur la table. Il a vu la taille du sac de
pommes que j'avais acheté :

— Baquèse de baquèse, Shirley, veux-tu faire des
tartes pour la paroisse au complet ! s'est-il exclamé en
secouant la tête. T'en as combien de kilos là-dedans ?

Je n'ai rien répondu. Je me suis assise en face de lui et
j'ai ouvert le sac de fruits. Léo a commencé à feuilleter le
journal, non sans avoir enfoui une de ses grosses mains
dans le sac pour saisir une pomme et la croquer à belles
dents.

— Ça va te faire moins de travail, a-t-il dit.

— Veux-tu bien laisser mes pommes tranquilles, ai-je
rétorqué en épluchant la première du lot.

La douce odeur sucrée a fait frémir mes narines.

— Te souviens-tu, Léo, quand on allait aux pommes
avec les petits ? Ils aimaient donc ça, grimper sur les échelles,
remplir les paniers, m'aider à faire les compotes et puis les
tartes aussi. Marcel me regardait faire, tout impressionné ;
une fois, il m'a dit qu'il voulait devenir pâtissier plus tard
pour pouvoir faire des tartes aussi bonnes que les miennes !
Cré Marcel, hein ? Dire qu'il est avocat, aujourd'hui.

— Eh oui, m'a distraitement répondu Léo avant de
replonger dans son journal.

J'ai compris qu'il ne voulait pas m'écouter, alors je me suis tue et j'ai ressassé ces vieux souvenirs pour moi seule. J'aurais pu y passer tout l'après-midi et davantage, si je l'avais voulu : c'étaient de belles années qu'on avait eues avec les enfants, des années remplies d'un vrai bonheur qu'on avait goûté chaque jour, chaque seconde.

— Veux-tu rire ? m'a demandé Léo d'un ton amusé. Y paraît que la femme du premier ministre couche avec le chauffeur de son mari !

— Vraiment ?

J'ai haussé les épaules et j'ai pelé quelques autres pommes en me disant que, malgré son statut, je n'avais rien à envier à cette femme. Moi, je n'avais peut-être jamais été mariée avec un grand homme politique, mais j'avais toujours réussi à suivre le droit chemin. Sans doute était-ce cela qui m'avait permis d'être une bonne mère de famille, de bien piloter le bateau, de mener tout l'équipage à bon port, aussi bien mes deux moussaillons que mon capitaine. Des croisières comme celle-là, j'en referais n'importe quand. On n'avait jamais fait naufrage nulle part, je crois.

— Écoute ça ! a repris Léo en ricanant. Il y a une femme qui actionne une compagnie spécialisée dans la vente à domicile de cosmétiques parce qu'une des vendeuses a couché avec son chômeur de mari pendant qu'elle était partie au travail.

— Ah oui ?

J'ai continué de peler mes fruits ; je maintenais un bon rythme, j'en étais presque arrivée à la moitié du sac. Léo m'a volé une autre pomme, croyant peut-être que je ne le verrais pas faire tant j'étais appliquée à mon ouvrage.

— J'en ai une bonne pour toi, a-t-il dit quelques secondes plus tard. Cette semaine, il y a une femme blanche mariée avec un homme blanc qui a accouché d'un rejeton nègre. Le mari a quitté la salle d'accouchement furieux. La femme s'est jetée hors du lit pour le rattraper et les médecins ont dû se mettre à quatre pour la retenir. Elle avait même pas fini d'accoucher ! Regarde ça comme elle a l'air amochée !

Léo a poussé son journal vers moi pour me montrer la photo de la femme : elle tenait un bébé noir dans ses bras et elle avait de grands yeux vides et tristes. Sous la photo, on avait retranscrit ses paroles en gros caractères : « Je regrette d'avoir trompé mon mari, mais j'aimerais quand même qu'il soit le père de mon enfant. Où que tu sois, Georges, je t'attends et je t'aime. »

— Pour moi, elle va l'attendre longtemps, son Georges ! a ajouté Léo, un sourire aux lèvres.

Agacée, j'ai soupiré et j'ai repoussé le journal vers lui. Je ne trouvais pas juste que Léo se moque d'une femme qui venait de mettre un bébé au monde. Je me suis emportée :

— As-tu fini, Léo ? ai-je grondé. Il y a rien d'autre à lire dans le journal que ces histoires à dormir debout ?

Il a cessé de bouger et son visage est devenu sérieux. Il m'a dit :

— Je voulais juste te faire rire un peu, Shirley. C'est quand même pas de ma faute si les gens fidèles font pas les nouvelles !

J'ai haussé les épaules et j'ai continué de peler mes pommes. Lui, il a continué de tourner les pages de son journal, en m'épargnant toutefois le compte rendu de ses lectures.

Peut-être que j'avais exagéré en me fâchant comme ça. Peut-être enviais-je un peu cette femme qui venait tout juste d'accoucher. J'aurais tant aimé pouvoir retourner en arrière et élever mes enfants de nouveau, non pas pour changer quoi que ce soit, juste pour les ravoir près de moi tous les jours.

Lorsque mon sac de pommes a été vide, je me suis levée en emportant mes deux plats bien remplis et mon couteau-éplucheur.

— Je m'en vais faire mes tartes, Léo.

— Tâche de ne pas trop en faire.

J'ai mis une tarte au four ; celle-là, c'était pour Léo. J'ai congelé les quatre autres. Afin de ne pas les confondre avec les tourtières que je conservais également pour mes enfants depuis Noël dernier, j'ai pris bien soin de les identifier en traçant une ligne rouge sur les assiettes d'aluminium. J'ai fait de la place dans le congélateur, j'ai tassé les pots de ketchup maison que je leur avais mis de côté l'automne passé ainsi que les contenants de ragoût de pattes, de piments farcis, de poulet au gingembre, de cigares aux choux, de soupe aux poireaux et d'autres petits mets dont ils raffolaient : ces pots-là, je ne savais plus de quand ils dataient.

J'ai refermé la porte du congélateur en poussant bien fort dessus. Si ça continuait comme ça, je ne pourrais plus rien y mettre. Je me suis assise à table et l'envie m'a pris d'appeler mes enfants. Après tout, est-ce que je n'en avais pas le droit ? Il fallait bien que je les prévienne que je leur avais cuisiné des tartes. J'ai composé le numéro de Johanne et je suis tombée sur son répondeur : « Bonjour, vous êtes bien chez Johanne et André. Nous sommes absents, laissez un message. Merci et au revoir. » Je n'ai jamais aimé cela, parler à des machines. Mais comme c'était la machine de ma fille, j'ai quand même articulé quelques mots après le bip :

— Allô, Johanne, c'est maman. Je voulais te dire que j'ai fait des tartes aujourd'hui et que je t'en ai gardé deux. Elles sont au congélateur. Bye-bye.

Tandis que je raccrochais, Léo est entré par la porte vitrée.

— Il va pleuvoir, le ciel se couvre, m'a-t-il annoncé.

Il a jeté un coup d'œil sur le contenu du four et il s'est frotté les mains avec satisfaction : « Ça sent bon », avant de me demander si nous avions de la crème glacée à la vanille pour accompagner la tarte aux pommes ce soir. Je l'ai rassuré ; je connaissais par cœur l'inventaire de tout ce que contenait le congélateur. « Tu n'es pas trop fatiguée ? Combien de tartes as-tu faites en tout ? » m'a-t-il demandé en me massant les épaules. J'ai murmuré « cinq » et j'ai entendu Léo soupirer. Il m'a dit qu'il descendait au garage pour achever de vernir un meuble qu'il avait acheté chez un brocanteur.

— C'est un beau coffre, tu vas voir, a-t-il ajouté.

Je lui ai demandé où il comptait mettre ce coffre. Depuis qu'il était à la retraite, Léo retapait des meubles : une petite table par-ci, un petit buffet par-là, il n'y avait pas une seule pièce de la maison qui n'était pas envahie.

— T'inquiète pas, Shirley, j'y trouverai un endroit où il ne prendra pas trop de place, m'a-t-il répondu avant de quitter la cuisine.

Je n'ai pas insisté. Après tout, ils étaient peut-être

encombrants, les meubles de Léo, mais ils comblaient le vide laissé dans la maison depuis le départ des enfants.

J'ai composé le numéro de Marcel en espérant qu'il serait là. Quelle n'a pas été ma joie quand je l'ai eu au bout du fil ! « Marcel ! Mon petit Marcel ! Comment vas-tu ? » Il m'a dit qu'ils allaient bien, lui et Jocelyne, qu'ils avaient eu une grosse semaine au cabinet, qu'ils avaient été visiter une maison cet après-midi et qu'ils pensaient peut-être faire une offre.

— Et quand est-ce que vous venez nous voir ? lui ai-je demandé comme chaque fois que je lui parle.

J'ai toujours cru qu'à force de répéter les choses aux gens, on les stimule. C'est ainsi que j'ai élevé mes enfants. Je me souviens comment je leur ai rebattu les oreilles à longueur de journée, alors qu'ils étaient encore tout petits, avec des formules comme : « Faites vos devoirs ! », « Faites vos lits ! », « Faites la vaisselle ! », « Sortez les déchets ! » J'avais obtenu un bon résultat : vers dix ans, toutes ces tâches faisaient partie de leur quotidien, sans que j'aie besoin de les leur rappeler. À présent qu'ils avaient trente-deux et trente-cinq ans, pourquoi était-il devenu si difficile de me faire obéir quand je leur disais de venir nous voir ? Parce que Johanne affirmait qu'elle était toujours dans ses valises avec le boulot de journaliste qu'elle avait choisi ? Parce que Marcel était débordé de dossiers au cabinet ?

Marcel m'a dit qu'il devait raccrocher car Jocelyne et lui étaient attendus pour souper chez des amis.

— Ah oui ?

Lorsque j'ai déposé le combiné, je me suis souvenue que j'avais oublié de l'avertir que j'avais fait des tartes, alors j'ai refait son numéro. Après cinq longs coups de sonnerie, c'est le répondeur qui s'est enclenché :

— Marcel, tu es déjà parti ? C'est encore moi, c'est maman. Il fallait que je te dise qu'il y a deux belles grosses tartes aux pommes qui t'attendent au congélateur à la maison. Tu te souviens comme tu les aimais ?

J'ai raccroché. Mes doigts sont restés agrippés très fort au combiné. Quelque chose m'agaçait, mais je n'arrivais pas à savoir quoi.

Lorsque la tarte de Léo a été dorée à point, je l'ai sortie du four et je l'ai laissée refroidir. À travers la fenêtre, très loin de notre maison, j'ai vu de gros nuages noirs déchirer le ciel. Comment le soleil avait-il pu briller à peine quelques heures plus tôt ? J'avais bien fait d'en profiter et de peler mes pommes dehors. Léo avait laissé son journal sur la table de pique-nique ; pour le protéger des coups de vent, il avait mis ses deux trognons de pomme dessus. J'ai ouvert le frigidaire et j'ai sorti le restant de rôti de bœuf que j'avais cuisiné la veille. Comme il était encore dans la cocotte d'argile, j'ai simplement retiré le couvercle et je l'ai mis directement dans le four, que je n'avais toujours pas éteint depuis la cuisson de la tarte.

Dehors, il a commencé à pleuvoir et de grosses gouttes sont venues s'écraser sur la vitre. « Nous n'irons pas faire notre promenade ce soir », ai-je pensé. Nous ne l'avions pas faite hier soir non plus, et ce malgré le beau temps. J'avais dit à Léo que j'étais épuisée et que je préférais garder mes forces pour faire mes tartes aujourd'hui. « Baquèse de baquèse, Shirley, avait-il grommelé, ils en vendent à la boulangerie du coin. » Je lui avais dit que ce n'était pas pareil, que rien ne pouvait remplacer mes tartes maison. Et pourtant, maintenant qu'elles étaient faites, il me semblait que je n'étais pas si enchantée que cela du résultat. Pourquoi me cacher que le seul fruit de tous mes efforts était un congélateur qui se remplissait au fil des années de toutes sortes de bonnes choses qu'on ne venait jamais chercher? Cette corvée de congélation ne servait-elle pas uniquement à alimenter mes propres espoirs? La seule chose que j'aurais vraiment souhaité pouvoir congeler dans toute ma vie, est-ce que ce n'étaient pas mes enfants?

Peu à peu, l'odeur du rôti de bœuf s'est mise à embaumer toute la maison, ce qui m'a rendue encore plus triste. Je me suis demandé combien de fois l'odeur d'un rôti de bœuf avait parfumé les pièces de cette demeure. Des centaines, des milliers de fois peut-être. Et chaque fois, c'était exactement la même odeur qui revenait, car je n'ai jamais modifié ma recette. Pourquoi fallait-il donc qu'aujourd'hui cette odeur n'éveille plus en moi la même joie qu'auparavant quand je criais : « À table, tout le monde ! C'est prêt ! » ? Ma petite Johanne arrivait à la course, ses deux tresses virevoltant au-dessus de sa tête, et mon petit Marcel la suivait en essayant de la retenir pour qu'elle n'arrive pas avant lui. Johanne se plaignait que son petit frère l'embêtait, et Marcel ripostait que ce n'était pas vrai. Je tranchais : « Ça suffit, les enfants ! Allez vite vous laver les mains, on mange ! » Léo arrivait dans la cuisine après tout le monde, il demandait pourquoi tous ces cris, et je lui répondais : « C'est rien, Léo. Le souper est prêt. » Pendant que chacun prenait place à table, je retirais du four un rôti toujours grillé à point dont nous nous régalions.

J'ai entendu les pas de Léo dans les escaliers. Il est entré dans la cuisine :

— Ça sent bien bon. Quand est-ce qu'on mange ?

Le rôti était au four depuis un bon moment et il était sans doute assez chaud pour que je le serve, mais comme je n'avais pas faim, j'ai dit à Léo qu'il ne serait prêt qu'une demi-heure plus tard. Il est allé dans le salon et les échos de la télévision me sont vaguement parvenus. Dehors, il pleuvait toujours aussi fort et le vent soufflait de plus belle ; il avait emporté le journal de Léo dont les feuilles se dispersaient maintenant dans le ciel comme de gros oiseaux gris égarés. Je me suis levée et j'ai mis la table.

Quelques minutes plus tard, Léo est accouru dans la cuisine.

— Ça pue le brûlé, a-t-il dit en se précipitant vers le four.

Où avais-je donc la tête pour ne pas l'avoir senti aussi ? Léo a ouvert la porte du four et son visage a disparu derrière un nuage de fumée. Il a pris la cocotte d'argile à l'aide des gants et l'a déposée sur le comptoir. À l'intérieur, la viande n'était plus qu'un amas de chair noire et sèche ; Léo la regardait d'un drôle d'air. Je me suis rendu compte que c'était la première fois de ma vie que je faisais calciner un rôti de bœuf.

— C'est une drôle de coïncidence, a dit Léo. Tu sais ce qu'ils viennent d'annoncer aux nouvelles à la télé ? La femme qui était dans le journal tout à l'heure, elle a mis son bébé noir au four ce matin. Elle l'a fait brûler.

— Au four ! ai-je répété, abasourdie.

— Eh oui ! Au four ! Mais ne pense pas à ça, tu vas faire des cauchemars.

Je me suis appuyée au comptoir de la cuisine. J'ai regardé dehors et je me suis demandé ce qui avait bien pu arriver à ce monde qui se cachait derrière les arbres de ma cour pour qu'une telle chose s'y produise. Une femme pouvait-elle vraiment prendre son bébé et refermer la porte du four sur lui ? C'était si étrange. Léo m'a aidée à m'asseoir.

— On va manger ta tarte pour souper ! a-t-il lancé d'un ton enjoué, sans doute pour me faire retrouver mes esprits. On va se régaler !

Il a pris un couteau dans le tiroir puis la tarte sur le buffet. À table, il nous a servis dans les assiettes que j'avais déjà mises. Il s'est dirigé vers le réfrigérateur.

— Où vas-tu ?

— Je veux de la crème glacée à la vanille.

Il était trop tard pour l'arrêter. Quand il a ouvert la porte du congélateur, deux pots de ketchup maison sont tombés à ses pieds, suivis d'un pot de ragoût de pattes et de trois autres de soupe aux poireaux. Le fracas a résonné dans ma tête et dans mes entrailles.

Léo a regardé par terre en hochant la tête.

— Shirley, tu crois pas que c'est assez maintenant ? m'a-t-il demandé après avoir ramassé les récipients un à un.

Je l'ai observé en train de serrer tous ces pots contre sa poitrine ; la glace dont ils étaient recouverts était aussi blanche que ses cheveux. Je me suis levée d'un bond et j'ai couru vers lui. J'ai voulu qu'il me prenne dans ses bras, mais comme ils étaient pleins, je n'ai senti que du froid sur mes seins.

— Aide-moi, aide-moi, Léo, ai-je imploré.

Il a tenu le sac à ordures et j'y ai vidé tout le contenu du congélateur.

Table des matières

DANS LA COLLECTION « BORÉAL COMPACT »